钱文忠解读《弟子规》

钱文忠◎主讲

中国青年出版社

图书在版编目（CIP）数据

钱文忠解读《弟子规》/ 钱文忠著. —北京：中国青年出版社，2010.8

ISBN 978-7-5006-9454-0

Ⅰ.① 钱… Ⅱ.① 钱… Ⅲ.① 汉语 — 古代 — 启蒙读物 ②弟子规 — 研究 Ⅳ.①H194.1

中国版本图书馆 CIP 数据核字（2010）第 139472 号

责任编辑：李茹

*

中国青年出版社出版 发行

社址：北京东四十二条 21 号 邮政编码：100708

网址：www.cyp.com.cn

编辑部电话：（010）57350508

营销：北京中青人出版物发行有限公司

北京通州富达印刷厂印刷 新华书店经销

*

710×1000 1/16 18 印张 230 千字

2010 年 9 月北京第 1 版 2010 年 9 月北京第 1 次印刷

印数：1-300000 册 定价：35.00 元

本图书如有印装质量问题，请凭购书发票与质检部联系调换

联系电话：（010）83670231

学习弟子规，精文化落地为文明

钱文忠 【印】

弟子規　聖人訓　首孝悌　次謹信

汎愛眾　而親仁　有餘力　則學文

右弟子規總敘　錢文忠恭錄

前言

继《玄奘西游记》、《钱文忠解读（三字经）》等节目之后，《钱文忠解读（弟子规）》是我和中央电视台《百家讲坛》又一次难忘的合作。现在呈现在大家面前的这本书，照例是根据《百家讲坛》的同名节目编辑而成的。

在传统中，比起《三字经》，《弟子规》的知名度和应用度恐怕都要略逊一筹。不过，自从问世以来，在现代学校教育普及以前，《弟子规》还是不少私塾先生选用的重要教材。它的特点就在于和《三字经》各有侧重。如果说《三字经》偏重于知识，那么，《弟子规》偏重的则是规矩。这当然只是大概言之，我们可不能认为《三字经》就不讲规矩、《弟子规》就不讲知识了。我想，我们或许还可以说：如果说《三字经》更多地是意在传授"文化"，那么，《弟子规》所看重的则更多是"文明"。

大概正是因为这样的原因，原本比《三字经》更易被人淡忘的《弟子规》，近年来的影响越来越大，很多学校用它来教育孩子，也有很多单位，甚至还有不少的外资企业，用它来培训员工。道理也很简单：如今的孩子获取知识的渠道很多，也很便利，社会和家长对这方面也很重视；然而，很多孩子却不知道什么是应有的规矩，孩子了解规矩的渠道就不那么多，也不那么便利，社会和家长也未必很在意。如今，我们已经充分地意识到。知识和规矩的失衡，是孩子成长过程的大问题，事关孩子的前途和命运。于是，《弟子规》也就"热"了起来。

　　很多人可能不知道，这本书原先并不叫《弟子规》，而是叫《训蒙文》。一位名叫贾存仁（也有贾有仁的说法）的先生对《训蒙文》加以修订，并且将它改名为《弟子规》。可惜，我们对贾存仁先生知之甚少。

　　《训蒙文》，也即《弟子规》前身的作者则是一位普通的教书先生。他是山西绛州人，生活在清朝康熙、乾隆年间。我们对他的生平并不很了解，所能知道的是他以八十三岁（也有六十岁的说法）的年龄卒于乾隆年间。

　　这位教书先生名叫李毓秀，字子潜，号采三，一辈子以教书为生，没有显赫的科举仕宦经历，在当时算不上成功者。但是，他毕生钻研《大学》、《中庸》等儒家典籍，创办敦复斋，致力于教育讲学。他不是一位冬烘先生，更不是鲁迅先生笔下的将"郁郁乎文哉"读成"都都平丈我"的混饭之辈，而是被尊称为"李夫子"的。根据《弟子规》注解者之一卫绍生先生的介绍．山西省图书馆和北京大学图书馆还藏有这位李夫子的《四书证伪》、《四书字类释义》、《学庸发明》、《读大学偶记》等著作。不过，李毓秀夫子终究还是因为《弟子规》才被后人记住的，也因此，他的牌位得以被供奉进绛州先贤祠。《弟子规》不是横空出世的，它是对传统文化的继承和发展。为什么叫《弟子规》呢？很明显，全书就是以《论语·学而》"弟子，入则孝，出则悌，谨而信，泛爱众，而亲仁。行有余力，则以学文"为总纲展开的，全部内容也正是分为这几个部分。此外，《弟子规》接续了明朝吕得胜的《小儿语》，以及比父亲吕得胜更为有名的儿子吕坤的《续小儿语》和《好人歌》。只不过，吕氏父子的作品或四言、或五言、或六言，句子的长短参差不齐，易懂好记的程度也相差颇大。后起的《弟子规》则避免了这些缺憾。我们完全可以推断，《弟子规》受到了早已流行的《三字经》的影响。它一经问世，就广受欢迎，不是没有道理的。

电视节目由我主讲，书也由我署名，但是，这绝不意味着，解读《弟子规》的工作，完全是由我一个人完成的。我首先要感谢中央电视台《百家讲坛》栏目对我的信任，感谢中央电视台社教中心教育专题部副主任魏淑青女士、《百家讲坛》制片人聂丛丛女士的大力支持。我更应该感谢《百家讲坛》执行主编王咏琴女士，她是我在《百家讲坛》上所有节目的主编，无论是选题的确定，还是解读风格的调节，她都付出了巨大的心血。我还要将我的感谢奉献给编导迮方乐小姐、编导林屹屹小姐、编导才越小姐、编导马晓燕小姐、总导演高虹先生、制片吴林先生，还有化妆师杨静女士和她可爱的女儿小乔乔。我深深地感激他们，正是他们，使我在《百家讲坛》的经历成为我毕生的美丽记忆。

孩子们在节目中吟颂的《弟子规》是如此美妙，作益者和录制者是中国广播艺术团的孙伟先生，我也要请他及他的团队接受我的谢意。很多人一定会喜欢节目中的女声吟唱，她们的声音是如此动听，将《弟子规》蕴含的美和雅表达无遗，吟唱者是著名的"黑鸭子"组合，我深深地感谢这三位美丽的女孩子。

我当然还要感谢接纳《钱文忠解读〈弟子规〉》的中国青年出版社，感谢出版社所有编辑、工作人员的辛勤付出。没有他们，这本书不会以今天的面目呈现在大家面前。

最后，但绝对不是最小或者最不重要，我必须强调，在解读《弟子规》的过程中，我参考了很多学者研究《弟子规》和其他蒙学读物的成果，我对他们给予我的教益深表谢意。在此一一提及，几乎是件不可能的事情。然而，我必须特别感谢赵震野先生编著的《（弟子规）故事征引》，以及蔡振绅先生原辑的四册《读史心得》，它们为我在解读过程中寻找例证和故事提供了很大的帮助。也正因为如此，当然绝不仅仅因为如此，这本《钱文忠解读（弟子规）》没有署"著"，署的是"主讲"。

我的两位助理任华女士、张倩小姐用出色的工作为我节省了大量的时间。她们也是我必须感谢的对象。

我希望，《钱文忠解读（弟子规）》能够为今天的中国教育和社会文明建设贡献一点力量；我期待，观众、读者朋友们能够一如既往地给我指教和批评。

由衷地感谢大家！

2010 年 6 月 30 日于沪上履冰室

目 录
CONTENTS

们又该怎么办呢？

题上,父母又应该注意哪些呢?

为了让我们养成言行慎重的好习惯,《弟子规》甚至对行走站立都提出了非常具体的要求,那么究竟怎么走,怎么站,怎么坐才是对的呢?

《弟子规》在"谨"的篇尾还特别强调:有些看似不起眼的小事,如果我们不加以注意的话,往往会导致非常严重的后果。那么,究竟哪些事情是我们应该特别警惕的呢?

《弟子规》"信"篇开篇就告诉我们说话要诚信为先。但是说话并不是只讲信用就够了,说话还是一门艺术。什么话能说? 什么话不能说? 如何才能成为一个会说话的人? 当天真的孩子面对大人们善意的谎言时,他们又该怎么办?

《弟子规》作为一本儒家启蒙教育读本,要求孩子们从小就要谨言慎行,并且明确告诫孩子们有三种言语是绝对不能说的。那么,这三种言语具体指的是什么呢? 我们在生活中有没有说过这种不得体的话? 与人交谈中,哪些话能说? 哪些话不能说? 什么样的话该用什么样的语气说? 如何才能将自己塑造成一个谈吐得体的人呢?

在什么情况下不能轻易发表自己的意见? 什么样的事情不可

以随意传播? 什么样的要求可以答应别人? 什么样的要求是不能够答应的? 如果承诺了对方却没能兑现该怎么办? 当遇到这些问题时,《弟子规》会教我们如何处理呢?

《弟子规》作为一本儒家启蒙教育读本,就是通过规范生活中的言行来塑造一个人的良好品格。那么,《弟子规》是如何规范孩子们日常说话中的咬字吐字的? 说话的时候,又应该怎样控制语言的轻重缓急呢?

现代社会物质生活极其丰富,未成年的孩子攀比斗富的现象也是屡见不鲜。那么,如何才能正确地认识攀比? 孩子之间,哪些方面是可以比的? 哪些方面是不可以比的?《弟子规》又会给我们什么样的启示?

人最应该重视什么? 是外在的容貌还是内在的修养? 才华和名望又是什么样的关系? 我们应该怎样看待自己和别人的才华? 怎样才能成为一个被别人承认的、对社会有益的人呢?

我们生活在社会之中,与各种各样的人打交道一直都是我们必须面对的事情,那么在与人交往的时候,我们应该抱有什么样的态度呢? 面对善恶,《弟子规》甚至给我们提出了两种不同的处理方法,那么这些看起来有些自相矛盾的观点,我们又该如何取舍呢?

第一讲　规矩的作用

弟子规，圣人①训②。首孝悌③，次谨④信⑤。

泛爱众，而亲仁。有余力，则学文⑥。

①圣人：指儒家创始人孔子。

②训：教导，教诲。

③悌：指弟弟服从兄长。

④谨：出言慎重，寡言。

⑤信：诚信。

⑥文：文化知识或文献典籍，泛指一切学问。

《弟子规》是继《三字经》之后，儒家思想启蒙教育的又一重要读本。《弟子规》告诉孩子们，按照圣人孔子的儒家思想，应该遵守哪些规矩。那么对于学习了众多知识与技能的现代年轻人来说，懂得规矩的重要性又在哪里呢？

《弟子规》是一本只有一千来字的小册子，儒家思想提倡的孝、悌、谨、信、泛爱众、亲仁、余力学文等思想。都包含在《弟子规》中，它们有明确的行为规范。那么这些行为规范，对于现代人会有什么作用呢？《弟子规》为什么会引起众多现代人的重视？《弟子规》的作者是谁？成书于哪个年代？其中都有哪些严格的规定？又是什么原因，使越来越多的人，开始学习《弟子规》呢？

　　从今天开始，让我们大家一起来学习《弟子规》。首先，让我们一起来看看，《弟子规》到底是一本什么样的书。与《百家讲坛》讲过的《论语》、《庄子》、《老子》相比，《弟子规》是无法算作可以供奉在庙堂之中的经典之作的。哪怕跟《三字经》相比，《弟子规》从历史悠久的角度也没得比。《三字经》出现在南宋，至今有七八百年历史，而《弟子规》什么时候才出现的呢？是在清朝康熙年间。所以，在动辄上千年历史的中国吉籍当中，《弟子规》连小弟弟都排不上。

　　《弟子规》的作者李毓秀，字子潜，号采三，生于康熙年间，卒于乾隆年间，生卒年不详。一般认为这位李夫子是公元1662年出生，公元1722年去世，换句话说，活了六十岁。但是，也有人说，他活了八十三岁。前后相差二十三年，这充分说明当时社会对他就没有什么明确的记载。如果是个大人物，史书上不仅会详细地记载着他的出生年月日，而且还有他的生辰八字。李夫子终其一生，获得的最高学位是秀才，此后再也没有高中过，举人没考取过，进士更跟他没关系，更别说什么状元、榜眼、探花了，这些都跟他没关系。

　　在当时。一个秀才能干什么？教书啊！秀才不是举人，举人老爷有的时候可以当官，进士也可以当官。唯有秀才只能教书，还教不了什么好书，也当不了什么书院的山长，只能开个私塾。

这位李先生为什么写得出《弟子规》？那是因为他毕生研究《大学》、《中庸》，虽然李夫子学位不高、学历不高，但是，有的时候好多科举不成功的人恰恰学有所成，这位李先生就是一个典型。科举道路上，他是一个失败者，但是，在研究《大学》、《中庸》的领域里，他却颇有建树，是一个相当了不起的学者。后来，他创办了一所学校，叫敦复斋，起一个斋号讲学。李先生讲学取得了巨大的成功，吸引了很多人前来听课，久而久之，他就被人尊称为李夫子。所以，我们称李先生是清朝早期杰出的教育家和学者，这一点是不为过的，这个称号他也是当得起的。

后来，这位老夫子根据传统对蒙童的规范方面的要求，并结合自己多年的教书实践，写成了一本教育孩子、启蒙孩子的书，叫《训蒙文》。训者，教训也；蒙者，启蒙也。

当然，这位老夫子还有好多研究"四书"的作品，而且他在研究《大学》、《中庸》这样的著作之余，还坚持写诗。也许是特别喜欢水仙花的缘故，他曾经写了上百首歌颂水仙花的诗歌，后来结集为《水仙百咏》。现在，这本书在全国两个地方藏着，一个是北京大学图书馆，另一个是他的家乡山西省图书馆。

那么，在他那么多的著作里面，哪部作品流传最广呢？不用说，就是《训蒙文》。

既然李毓秀先生是《弟子规》的作者，又为什么说在他留下的众多著作里，流传最广的是《训蒙文》呢？如果说《训蒙文》和《弟子规》是同一部书，那么《训蒙文》是怎样变成《弟子规》的呢？

　　现在很少有人知道《训蒙文》，那么《训蒙文》后来怎么会叫做《弟子规》的呢？

　　那是因为后来有一个学者在《训蒙文》的基础上进行了修订，并把书名改为《弟子规》。从此之后，这本书在一些私塾里面开始广泛流行。如此说来，这个人该算是《弟子规》的大功臣了。

　　有意思的是，大家现在到书店里买的《弟子规》有几十种版本，虽然原著都是李毓秀，但修订者居然有两个人，一个叫贾有仁，一个叫贾存仁，两个名字仅一字之差。现在几乎一半版本说《弟子规》是贾有仁校订的。还有一半版本说是贾存仁校订的。孰对孰错，我想应该是贾存仁，至于这里面的考据就不用说了，太复杂，应该是贾存仁先生校订的。

　　一部并不古老，作者和修订者又不是鼎鼎大名的《弟子规》，为什么会产生那么大的影响呢？这当然是由这本书本身决定的。

　　《弟子规》是从《论语·学而》篇中的"弟子，入则孝，出则悌，谨而信，泛爱众，而亲仁。行有余力，则以学文"这句话开始的，讲的正是孔夫子的核心思想，四个字：孝、悌、仁、爱。《弟子规》是按照三字一句的押韵形式写成的，毋庸置疑，这一点肯定是学习《三字经》。《弟子规》全文仅仅三百六十句，一千零八十字，对孩子的言语、行动、举止、待人、接物等方面提出了详细而明确的要求。《弟子规》的文字浅显易懂，押韵顺口，朴实无华，说理透彻，循循善诱，内容又来自于中国传统基本的道德、伦理、规范，所以影响非常之大。从清朝中晚期开始，这本书就成为广泛流传的儿童读本和启蒙读物，几乎可以与《三字经》、《百家姓》、《千字文》相媲美。

这样的一部书，正是我们今天迫切需要的，用来教育孩子、使之形成良好行为规范的传统教材。那么，对这样一位先贤，我们怎能不怀抱一种感恩之情，怎能不去好好地诵读他的作品呢？

> 《弟子规》是二三百年前，在私塾教育中对孩子们行为规范的一种要求，而现代教育与私塾教育完全不同，社会变了，教育制度变了，孩子们也变了，但是为什么说，《弟子规》是今天迫切需要的，用来教育孩子的好教材呢？

从哪里开始讲《弟子规》呢？我想讲一个故事开始我们对《弟子规》的学习。

这个故事就发生在北京平谷区金海湖派出所。这个派出所有一位非常优秀的所长，叫耿国艳。耿所长在平谷区当了二十多年警察，平时特别关注辖区内发生的青少年案件，但他觉得仅仅靠日常的这些治安管理是远远不够的，所以就在业余时间主动承担起给辖区十几所中小学讲课的任务。他去讲什么课？讲法治课。有一天晚上，耿所长在值班的时候，也不知道从哪里掩（dèn）了一本古书来，打开一看，突然发现，自己在上法治课时绞尽脑汁想总结出来的话，全都在这部书里。这是一部什么书呢？它就是《弟子规》。

从此以后，耿所长就开始尝试着讲《弟子规》。这一讲不得了，每次听课的人数，少则七八百，多则一两千。时间久了，耿所长发现，很多家长也陪着孩子静静地坐在下面听他讲《弟子规》。有一天，耿所长讲课中随口吟诵了一两句《弟子规》中的话，结果发现全场几百个孩子都跟着他朗诵起来。从此之后，耿所长意识到，对那些因为不懂规矩而造成的过错、违法、犯罪行为，最好的解决办法就是让他们从小养成一种守规矩、守规范、懂道理的习惯。后来，他就越来越有意识地在辖区内的法治课和道德规范课上用《弟子规》做教材。不久，他发现自己的努力取得了意想不到的效果。

> 众所周知，一个社会，如果人民道德水平高，行为规范好，这个社会的矛盾和犯罪就会减少，生活就会更加和谐。当金海湖派出所的耿所长，开始用《弟子规》对辖区内的居民和孩子们进行道德教育时，收到了意想不到的效果，那么这些意想不到的效果，都是什么呢？

在他辖区的金海湖畔有一个村庄叫中心村，中心村里面有两位街坊常年闹矛盾，而且这个矛盾历史悠久，平均每年要大打出手七八次。屡次调解，屡次处罚，但依然没有效果。

有一次，耿所长又去调解，调解到最后，随口说了句："凡是人，皆须爱；天同覆，地同载。"这句话出自《弟子规》。用现在的话说就是：但凡是人，**我们活在这个世界上的人。**都要相互关爱。为什么呢？因为我们生活在同一片蓝天下，同一片大地上，何必为了一点小事，彼此反目成仇呢？耿所长没想到，就这十二个字，四句话，彻底解决了他辖区之内一个老大难：一对街坊多年不能解决的问题。从此往后，这对街坊成了模范街坊，相互关爱，再也没有打过架，再也没有闹到派出所来。

还有一件事，有一次耿所长到学校讲《弟子规》，讲完《弟子规》后他对孩子们说，你们知不知道，一个人去世以后，通过其骨骸，我一眼就能分辨出其生前的性别。孩子们当然很惊讶，这怎么能看出来？他说：我告诉大家，白颜色的是男的，灰颜色比较暗淡的是做了妈妈的女性的。因为妈妈把自己的营养给了孩子，所以妈妈的骨头是比较灰淡的。讲完以后。他回到派出所，过了一两天，突然收到了一封信，写信的是学校里一个娇宠无比的女孩，她在信中说道："所长叔叔，您讲的《弟子规》，对我产生了很大的影响，我突然意识到，我对妈妈说话的时候，都是'你'：妈妈，你给我倒杯水；妈妈，你给我点零花钱；妈妈，你给我去买张游戏卡。听完您的讲课后，我突然发现，我用'您'来称呼妈妈了。我再也没有用命令的语气去跟妈妈说话，我突然觉得应该用一种商量的语气，一种请求的语气去和妈妈说话。因为您讲的《弟子规》感动了我。"这个女孩子后来成了这所学校最优秀的学生。

通过这些事例，我们只想告诉大家一件事情，我们要不要读《弟子规》？我想答案已经非常清楚了。

也许大家会感到好奇，小小的《弟子规》怎么会有这么大的作用？现在的独生子女教育问题，是很多家长最关心的，一个被娇宠惯了的小姑娘，为什么学习了《弟子规》之后，就开始懂得感念父母之恩了呢？

我们发现，日常生活中我们做家长的都非常重视孩子的学习和身体健康，但是我们忽略了什么呢？让步了什么呢？说到底，我们不重视的和我们让步的恰恰是孩子的规矩。孩子在社会上成长，最终要步入社会，遵循社会的规矩，那么这个孩子从小是否讲规矩、懂规矩呢？

我的孩子在出生前，我父亲就天天合不拢嘴，因为他知道自己要做爷爷了，这是一个辈分的提升，是很重要的。那两天，他笑得很灿烂，我从小到大很难看到我爸爸的笑脸，现在才知道，我爸爸原来会笑的。有一次。我实在看不过他太高兴的样子，就跟他说：老爷子，您别高兴得太早。老爷子说：为什么不高兴啊？我说：等您有了孙子，您可别以为您是爷爷：等您有了孙子，很可能您就是"孙子"，而孙子就是"爷爷"了。后来的事实是，我小时候不能做的事情，我儿子都能做；我小时候做错的事情，我父亲当时都要教训我一顿，教训不听，还要弄两下，但现在是我儿子在做，我父亲就满脸堆笑，说：可爱啊，乖啊，这孩子怎么这么能干，这么聪明等。这说明什么？说明我们现在家庭结构改变了，目前的独生子女有一亿多，一个孩子从小最起码有六个大人宠：爷爷、奶奶、外公、外婆、爸爸、妈妈。我们往往会注意孩子读书有没有超过别人？今天怎么考九十九分？为什么不考一百分？孩子的身体是不是好啊？各种营养有没有跟上？但是我们忽略的恰恰是孩子懂不懂规矩、守不守规矩，用一句大白话来讲，懂不懂礼貌，懂不懂怎么做人，懂不懂怎么待人接物。孩子应该从小养成懂规矩、守规矩的良好习惯，按照社会公认的道德规范和礼仪规范接触社会，进入社会，乃至为社会服务。如果我们现在束手无策，或者没有行之有效的办法，怎么办？那么，只有按照我们一贯的思路，按照我们人类的共同经验：当我们找不到一个更好的办法和一条更好的路径时，我们就要回过头去，回到先民的智慧当中去。回到我们的传统当中去，看看我们的先民留下了什么遗产给我们，看看我们的先民那些智慧，今天是否依然能够继承。

《弟子规》毫无疑问就是我们先民留下的文化遗产，就是我们培养孩子尊重规矩、遵守规矩、在社会公认的规范下健康成长的良好资源。

这位派出所的耿所长，非常值得我们尊敬，他就是在当代社会活用《弟子规》的典范。

近年来，《弟子规》在全国各地都得到重视。许多企业招进很多学历很高文凭很硬的大学生，可是后来发现这些大学生知识没问题，技能也没问题，就是不怎么懂规矩，不怎么守规矩。那么，你怎么能指望这样的人来遵守企业的规章制度呢？于是，选择《弟子规》进行员工培训，这是非常正确的选择，它的有效性，已经被许多成功经验所证明。

> 俗话说，没有规矩不成方圆，一个年轻人如果不懂规矩，将会遇到许多麻烦和困难，那么《弟子规》里面，究竟为年轻人规定了哪些行为规范？一本二三百年前的小册子，为什么对现代社会的人还会有如此大的影响力呢？

在读《弟子规》之前，我首先给大家推荐一种熟读《弟子规》的方法。每天背上四到六句，或者八句。这样的话，一周我们就可以背四十多句。到了周末，再把前面背的四十多句重新温习一遍，这就是古人讲的温书。温故而知新，就是这个道理。《弟子规》开篇的八句是总叙："弟子规，圣人训。首孝悌，次谨信。泛爱众，而亲仁。有余力，则学文。"这八句出自《论语·学而》，接着从孔夫子的话讲起。

什么叫弟子？弟子有两层意思：一层意思是指年幼的孩子叫弟子，儿童和少年都可以算弟子；还有一层意思，指学生。这两层意思在《弟子规》里面都有。但是以前大多指年龄比较小的孩子，强调规矩要从小养成。作者首先声明："弟子规，圣人训。"意思是说：《弟子规》这部书里面的道理，并不是我独创的，而是圣人传下来。那么圣人是谁呢？

孔圣人，孔夫子。这八句的意思很清楚：孩子，我们在家要孝顺父母。出门要敬爱兄长，说话要恭敬、谨慎、诚信，要博爱大众，亲近仁义的学说。亲近有道德的人。这样去努力实践。假如你还觉得有多余的体力、有多余的能力、有多余的时间，那么再去读其他的书，再去讲求其他的学问。学文在这里。并不仅仅是学文字，也不仅仅是学文学，这个学文。泛指一切学问。中国的传统，把做人的大原则和大规矩，放在第一位，要求孩子首先树立一个观念，要做一个有原则的人，一个符合基本的道德规范和准则的人，这个是最重要的。

有的人，也许没有读过书，也许不识字，但是，这不妨碍他成为一个真正的人。我们中国历来是把基本的道德规范准则放在知识之前，这是第一位的。我们一直认为，只有当一个人在道德规范准则方面有了一定的基础，他的知识才越多越好。否则，一个坏人知识越多，他的危害性就越大。《大西洋底来的人》里面有个博士叫舒拔，他是一位科学天才，非常有才华，但是天天想的居然是如何毁灭人类，摧毁地球。然而，我们今天实际上把孩子的学习知识放在最重要的位置，而忽略了孩子为人处世的规范和准则。这一点，是非常不妥当的，今天我们在教育孩子过程中频频出现让人担忧的局面，最根本的原因是我们把次序颠倒了。

《弟子规》的总叙，不仅是以孔子和《论语》里面的话为依据。讲述为人处世的根本原则，实际上还有个作用，那就是它是整部《弟子规》的纲领。我们马上就会看到，整部《弟子规》三百六十句、一千零八十个字，恰恰分成八个部分。哪八个部分？

第一部分是总叙，就是刚才讲的"弟子规，圣人训。首孝悌，次谨信，泛爱众。而亲仁，有余力，则学文"这八句。

第二部分讲"入则孝"。

第三部分讲"出则悌"。

第四部分讲"谨"。

第五部分讲"信"。

第六部分讲"泛爱众"。

第七部分讲"亲仁"。

第八部分讲"余力学文"。

可见古人在写一部书的时候，是如何地用心思，如何地考虑周详，哪怕是一部对孩子启蒙用的书，也要考虑到结构方面、层次方面，根据儒家根本典籍《论语》做到了层层安排，环环相扣，相互呼应。我想，也正是这一点，决定了《弟子规》拥有超强的生命力。

接下来让我们一起看看《弟子规》的第一部分，我们应该如何理解"入则孝"。"入则孝"除了作为孩子对自己父母长辈的一种敬爱。一种感恩，一种行为准则以外，它还有哪些教育功能，还能培养孩子们哪些社会规范？请大家听下一讲。

明·吴伟·江山渔乐图

第二讲　入则孝之一

父母呼，应勿缓；父母命，行勿懒。

父母教，须敬听；父母责，须顺承。

冬则温①；夏则凊②；晨则省③；昏则定④。

出必告，反⑤必面⑥；居有常，业⑦无变⑧。

①冬则温：冬天用自己的身体先为父母把被窝焐暖。

②凊（qìn，一读 jìng）：凉。这句说夏天替父母把床铺扇凉。

③省（xǐng）：探问，请安。

④定：定省，子女早晚问候父母。这里专指昏定，即晚间服侍父母就寝。

《礼记·曲礼上》："凡为人子之礼，冬温而夏凊，昏定而晨省。"

⑤反：同"返"，指返家。

⑥面：当面向父母禀报平安，让父母放心。

⑦业：职业，做事。

⑧无变：没有改变。指在外做事有规律、合规矩，不随意改变，以免父母担忧。

　　《弟子规》在"入则孝"的篇首，就明确提出了孝顺父母的基本要求，那么这些看似简单的要求，我们都做到了吗？

《弟子规》在"入则孝"的篇首，就明确提出了孝顺父母的四个基本要求和日常生活中子女应该做到的八件事情。那么这些看似简单的要求，我们都做到了吗？现在时代不同了，这些要求还适用于现代年轻人吗？

《弟子规》在总叙以后，就进入了它的第二部分，也就是"入则孝"的部分。

孝的结构是"上老下子"，意思是强调血缘延续的重要性。每个人，不管你寿命多长，都只不过是人类生命长河中的一个极其渺小的环节，今天的长辈是昨天的小辈，今天的小辈就是将来的长辈。小辈不孝敬长辈，你又怎么能够指望当你成为长辈以后，你的小辈会孝顺你呢？这就是孝要传达的一个意思。

教育的"教"字，是"左孝右文"。左边是个"孝"，右边是个"反文"，中国传统的讲法叫"教者，孝之文也"。教育教什么？从孝开始。以孝为根本，通过孝，培育孩子对血缘的尊重，培育孩子孝敬父母、尊重长辈，同时，也就在孩子心中牢牢树立了对传统的尊重。古人基本都知道，自己父亲的名字、爷爷的名字、曾祖父的名字、高祖父的名字。现在有多少人知道自己曾祖父叫什么？

传统的启蒙读物强调孝，把孝放在最突出的地位，《弟子规》当然不会例外。所以它的第二部分，"入则孝"的部分，以八句，四组，以父母开始的句子启首。"父母呼，应勿缓；父母命，行勿懒。父母教，须敬听；父母责，须顺承。"四次重复"父母"两个字。字面意思根本不用解释：父母在叫你的时候，你要赶紧答应，不可迟缓不答；父母有事情命令你，要叫你去做，你要马上去做，不要懒惰拖沓；父母在教训你的时候，在教育你的时候，你要恭恭敬敬地聆听；父母在责备你的时候（这个"父母责"在古文里面，还有揍的意思，不仅是说你两句，还可能要揍你一顿），你也要顺从地接受。父母呼、父母命、父母教、父母责，是所有人的生命当中都会出现的事情，《弟子规》的要求看起来很简单，一点都不高。但是我们不妨扪心自问，我们做到了吗？

> 中国传统文化认为，百善孝为先，所以《弟子规》要求我们：父母呼，应勿缓；父母命，行勿懒。父母教，须敬听；父母责，须顺承。这二十四个字看起来简单，但是我们做到了吗？

《弟子规》的要求，大部分我们也没做到，所以我们不要把它简单地当成学习和背诵的过程，而应当成反思和自我检讨的过程。你要读一段《弟子规》，检讨一下：我做到了吗？

父母叫你的时候，你忙着自己的事情。我们小时候比较简单了，看看小人书，打打弹子。现在的孩子不一样，打电脑游戏，而且还戴个耳机，父母叫更不理了，往往还会不耐烦。我小时候就有过不耐烦：你烦不烦啊，叫两声好了，你叫三声。今天的孩子，有时候父母一看，戴一个耳机，也不听，过去拍两下：你烦不烦，我这一关游戏没过去，你看，我被人打死了。这种情况很多，比比皆是。

父母命，是父母叫我们去做些事情。我们从小也都经历了。拿我个人来讲，有些事情我很愿意去，比如妈妈叫我：孩子，你去买个冰棍。我很高兴，一面买一面我吃回来了，回来时，就冰棍的棍在我那儿。妈妈说：孩子，你去买瓶芝麻酱。这我也愿意，因为可以吃一点。妈妈说：

孩子，你去买点糖果。那我更高兴，藏两颗在口袋里。但是如果妈妈叫我：儿子，去给我打瓶酱油。我就会说有事。为什么？我不能喝酱油。

"父母命，行勿懒"，父母教育、教训我们的时候，有几个心里没有抵触情绪的？一般都认为：我自己的事，爸妈管那么多干吗？你烦不烦啊？时代不同了，你们过时了。经常有这个心态。我从小就经常这么做，跟我爸爸顶牛，跟我妈妈顶牛，现在不顶了，但是现在爸爸妈妈也没有力气来教训我了。到这个时候你会很后悔：你小时候跟父母顶牛，到今天你不想顶了，突然发现父母老了，连教训你的力气都没有了。像"父母责"，古时候，责比教要重，责往往是责备、责打。我们小时候挨几下打，挨父母说几句重话也就算了，可今天的孩子，谁还敢打？所以我们可以想想，这四个"父母"句，我们都做到没有？我们如何来感恩？如何来报恩？"恩重如山"四个字，普天下绝大多数的父母是当得起的。

16

> 当我们对照《弟子规》，认真反省自己的时候，会发现这四组看似简单的"父母"句，其实做起来并不容易，那么在现实生活中，我们究竟应该怎样做呢？为什么首先要从"父母呼，应勿缓"做起呢？

"父母呼"，父母呼唤孩子，我们都知道，每一声呼唤里面是有深情的。在中国史籍当中，就有着很感人的记载。曾子是春秋时期鲁国人，孔子的得意弟子，以孝著称。有一天，曾子进山打柴，他妈妈留在家里。突然家里来了一个客人拜访曾子，他妈妈见到一个陌生人来找自己的儿子，一下子不知所措，情急之下，就咬了自己的手指。这个时候在山上打柴的曾子，就感觉自己的心一抽、一疼，马上就想是不是妈妈有什么事？是不是妈妈在叫我？于是赶紧背着打好的柴，急匆匆地返回家里，跪问母亲：母亲，我刚才心一抽一疼，是不是您老人家有什么事？妈妈就说：刚才有客人忽然来到，我不知道说什么好，又怕说得不好，让人家觉得不符合规矩，我没有办法，就只好咬着手指盼你回来。这就是我们史籍当中记载的故事，在东汉王充的《论衡》中，在东晋干宝的《搜神记》中，在六朝的《孝子传》中都有记载。你看，有时候母子之间心灵相通，这一种呼唤，连声音都不需要。这就是中国传统对于"父母呼"，对于父母和子女之间这种亲情的一种非常感人的描述。我们现在要学习、要工作，都很忙，好像就有理由忽略父母的呼声。其实这是不对的。

《广州日报》记者在母亲节这天进行了一次采访，他们随机采访了一些母亲和孩子。记者问这些做子女的：请你们谈一谈，将来会怎么样对待自己的母亲？这些儿女基本都这么说的：我要挣大钱。好好侍奉我的母亲。这个话我觉得完全对，无可厚非。但是做子女的有没有想到母亲这边的答案是什么？《广州日报》的记者，同时又采访了上百个母亲，当母亲面对"你希望你的子女为你做什么"这个问题的时候。没有一个母亲提到过"钱"字，没有一个母亲说，希望儿女给她买什么东西，百

曾子

（前505-前436），名参，字子舆，春秋末年鲁国南武城（今山东费县）人。孔子学说的主要继承人和传播者，在儒家文化中具有承上启下的重要地位。他的修齐治平的政治观，省身、慎独的修养观，以孝为本、孝道为先的孝道观影响中国两千多年。相传著有《大学》，后世儒家尊称他为"宗圣"。

分之九十六以上的母亲讲：希望我的儿女回家陪我吃顿饭。所以，网络上曾有一句非常流行的话：贾君鹏，妈妈叫你回家吃饭了。贾君鹏这个人是谁？现在谁都不知道，大概是个虚构的名字。而且这条留言就这么一句话，没头没脑的：贾君鹏，妈妈叫你回家吃饭了。这一句话的点击率现在多少了？为什么？道理很简单，就是因为这句话打动了所有人的心。

怎么才能好好孝敬父母？绝大多数中国的子女都是有这份孝心的，但是首先应该倾听一下，父母最希望你做什么。**孝的第一步。倾听父母的需要。第二步，尽量按照父母的需要努力去做。不一定都做得到。但是要努力去做。**

> 我们学会倾听父母的需要，并尽量按照父母的需要努力去做，但有时也不一定就能讨得父母的欢心，甚至还可能遭到父母的误解和责备，那么这个时候我们应该怎么办呢？

大家也许都听说过卧冰求鲤的故事，故事主人公是晋朝的王祥。王祥是公元185年生人，公元269年去世，琅玡临沂人（今山东临沂北），西晋的大臣，这个人曾经隐居深山二十多年。后来从温县令一路做到大司农、司空、太尉。卧冰求鲤这个故事特别有意思。王祥早年丧母，他的继母朱氏对他并不慈爱，经常在王祥的父亲面前进谗言，挑拨，说这个儿子不好，不孝顺。所以王祥从小连父爱都没有。但是父母患病的时候，王祥依然衣不解带地伺候，继母朱氏时常想吃鲤鱼，王祥都拼命满足她。有一年冬天，河水都已经结了厚厚的冰，而继母依然想吃鲤鱼，王祥没有办法，只好赤身卧在冰上祈祷，突然，冰裂开了，跳出两尾鲤鱼。对于对自己并不慈爱的继母，王祥尚且如此努力地满足她的需要，由此可以看出，在中国传统当中，孝是无条件的。孝不是交易，不是交换。现在我们很多人认为，孝是相互的，爸爸妈妈对我好，我要孝敬他。那另外一个意思是，爸爸妈妈如果因为某些主观原因，或者某种客观限制，对你稍微差一点，你就不孝顺父母啦？这在传统当中是绝不允许的，传统认为，**孝是人之所以是人的根本**。今天我也在反思我自己，我们有没有人为自己的父母跑一次菜场，去买点儿父母想吃的时令小菜？我长到这么大，基本没有进过菜场。所以我们是不是应该反思一下自己？有些很容易的事

卧冰求鲤

　　王祥卧冰求鲤的故事最早出自干宝的《搜神记》卷十一。房玄龄等人编撰《晋书》时也收录了此事。元代时，郭居敬将它列入宣传孝道的通俗读物《二十四孝》中，此书集历史上二十四个人物的"孝行"编成，后来的印本都配上了图画，通称《二十四孝图》。这些足以证明王祥之孝名为历代所传唱。有诗歌颂王祥说道："继母人间有，王祥天下无；至今河水上，留得卧冰模。"

情我们做了没有？或者再降低一些要求，我们起码马上答应父母的呼唤，抓紧完成一件父母交办的事情，耐心听一下父母哪怕是唠叨的教训，哪怕是委屈地顺承一下父母就算是误解的责备。当然这么做，实际上也并不见得容易。但是我觉得，我们应该去尝试。

孝顺父母，尊敬长辈，这是从小就应该让孩子懂得的基本道理，但是在当代社会，很多父母在教育孩子时，为了能让孩子听话，常常采取"物质奖励"的教育方法，那么这种做法究竟是对是错呢？

　　近几年，我们在培养孩子的规矩、规范的时候，特别流行一种物质奖励的做法。什么叫物质奖励呢？比如孩子在家里给自己洗一双袜子，五毛钱：如果给妈妈洗双袜子，五块钱。这个做法美其名曰"从小培养孩子的劳动习惯"。我原来认为这个做法是对的，但是现在觉得有巨大的副作用。因为这是在培养动物的条件反射，而不是在培养人的孝心。有一个朋友，在网上写了一篇文章，说有一个星期天他到公园去玩，看见一个三四岁的小孩在草地上又爬又闹玩得很开心，年轻的母亲跟孩子说：时间到了，宝贝。我们应该回家了。但是这个孩子就是不肯回去。这时候这个妈妈就从口袋里掏出一块巧克力，对着孩子晃了一下，孩子的眼睛就盯住妈妈手上的这块巧克力，慢慢地站了起来。然后他就听见这个妈妈问：宝贝，想不想吃巧克力？孩子说：想。妈妈就跟孩子说：想吃就得跟我回家去吃。然后就看见这个孩子乖乖地、小动物一样跟妈妈回家吃巧克力了。这位朋友观察得非常细致，他看完了以后，发了一通议论。他说，这位母亲用巧克力可以让孩子服服帖帖地跟自己回家，而母亲的呼唤孩子却充耳不闻，在这个三四岁孩子眼里，巧克力比他妈妈还重要。妈妈在孩子这么小的时候，已经在他的心田里种上了功利的种子。随着年龄越来越大，孩子的欲望也会逐渐地增长，长大以后，这孩子很可能就为了功利，而不要道义，这是不正常的。最后，当父母没有能力满足儿女日渐增长的欲望的时候，儿女就很可能会把父母丢弃在一边，种种的人间悲剧就是从教育失误引发的。这位朋友还引用了《弟子规》，他讲，他们受到的教育不是"父母呼，应勿缓"，而是"糖果呼，应勿缓；住房呼，应勿缓；电脑呼，应勿缓"，说到底就是"物欲呼，应勿缓"，他们回应的不是父母的需要，而是自己的物欲。长此以往。社会如何和谐？

> 《弟子规》在"入则孝"的篇首，除了提出孝顺父母的四个基本要求之外，还具体说明了在日常生活中，子女应该做到的八件事情，那么冬温夏清，晨省昏定，究竟是要求子女做哪些事情呢？现在时代不同了，对于现代年轻人，这些事情还有必要去做吗？

"冬则温，夏则清；晨则省，昏则定。出必告，反必面；居有常，业无变。"这句话里唯一要注意的就是"夏则清"的"清"字，现在好多通行的《弟子规》的版本上经常把它多印一点，就印成"夏则清"，它实际上是两点水的一个"清"字，应该读"清"（qìng，一读 lǐng）。

冬温夏清，用的是一个我在讲《三字经》的时候就已经讲过的典故。东汉年间的黄香是名列《后汉书》和《二十四孝》的大孝子。黄香九岁的时候母亲早亡，他和父亲相依为命。家里穷，根本就没有被子，所以冬天黄香就自己先睡到席子上。中国有床是比较晚的事情，古人都是席地而卧的。冬天，他先睡到席子上，用自己的体温为父亲先把这个席子给温一下、暖一下，这就叫"冬则温"。夏天，黄香就用扇子把父亲的席子先扇得凉一点，这就叫"夏则清"。今天社会进步了，时代不同了，很多人家里都有空调。然而我们有哪几个人会先给父母的房间打开空调？让父母有一个比较舒适的生活和休息环境？这实际上不是一个难不难的问题，本质上是想得到想不到的问题，我们有没有这个意识的问题。我想就算是有这类事情，恐怕还是父母为子女做得多。肯定是子女回来，发现房间里空调已经开好了。也许有的父母为了节省一点电费，自己的房间不开，先给子女开，这是我们比较常见的情况。

"晨则省，昏则定"就是我们一般知道的成语——昏定晨省。昏，好理解，天刚黑；省，就是探望和问候。晚间服侍就寝，早上省事问安，这是在传统社会侍奉父母的日常礼节。季羡林先生留学回来，已经是鼎鼎大名的博士、教授，他回济南探亲，季先生的叔父只要没有睡觉，季先生就垂着手，半躬着腰站在叔父床前，等叔父睡着，再到自己房间，该写东西写东西，该休息休息，这就是昏定，就是在天黑的时候要伺候自己长辈。而《弟子规》的这两句话："晨则省，昏则定。"是有出处的，出自儒家重要典籍《礼记·曲礼上》：凡为人子之礼，冬温而夏清，昏定而晨省。李毓秀先生把它搬到了《弟子规》里。我们知道，大孝子黄香实际上就是按照《礼记·曲礼上》的要求来规范自己的日常行为的。我们今天比较难做到的实际上是什么？是"昏则定"。为什么呢？因为现代社会的生活节奏、生活习惯和工作习惯跟传统社会不一样了，大家一般工作得都比较晚，或者应酬交际得都比较晚，而父母上了年纪，通常比我们都早睡。如果今天我们说非要按照《弟子规》去做"昏则定"的话，那简直是发昏。父母好好睡着了，你回去敲门：父母，我问候您，您睡着没有？这个没有必要，这个就是生搬硬套。"昏则定"不大容易做到，但是"晨则省"，应该是能做到的。早晨起来，自己去上学前，父母一般都要送孩子上学以后自己才上班，你是不是能够问爸爸妈妈一句：昨晚休息得好不好？这个应该是不难做到的。

《弟子规》接着指出子女无论出门前还是回到家，都必须告知父母，而且不能随意改变自己的住址和工作。但是现在的年轻人追求独立和自由，往往不和父母同住，时常会搬家、会换工作，那么《弟子规》提出的这些要求，还适用于当今社会吗？

　　"出必告，反必面"这个话也很好理解，出门前禀告一声，回来后在父母面前打个照面，让父母知道你回来了。这是针对和父母同住的情况下。过去传统社会，房子都比较大，一般来讲，面积比较大，孩子"哧溜"出去一下不跟父母讲，有时候父母会担心的：到哪里去了，怎么孩子没了？如果你回来了，"哧溜"往自己房间里一钻，父母也不知道你回没回来。所以"出必告，反必面"是针对跟父母同住的情况，这么做都是为了避免长辈不必要地为自己担心。至于不和父母住在一起的，恐怕就顾不上这些了。其实这些都是举手之劳。但是能够让父母少担很多心，而少让父母担心。实际上也是孩子的孝心，这在很大程度上是一回事。

　　"居有常，业无变。"这是对谁说的？是针对不和父母同住的情况下讲的，你看《弟子规》安排得多有条理：先告诉大家，和父母同住应该怎么样，再告诉大家，不跟父母同住应该怎么样。换句话说，**不要轻易改变自己的住址，也不要随意改变自己的职业。**

　　今天情况不一样了，很多在家乡以外发展的人，或者跟父母在同一个城市但是追求独立的人，通常是租房子住。由于各种原因，他们经常会搬来搬去的。然而我们是不是应该问问自己：是不是每次搬家都把自己的准确地址告诉父母了？

至于"业无变"，确实是和我们这个时代有点脱节。因为今天的年轻人，都勇于追求自我价值的最大化，人往高处走，跳槽是司空见惯的事。可是，我们是不是也有很多人，有的时候是为了一些小事，或者干脆是因为自己的任性。就非常草率地改变自己的职业，而导致父母为自己担忧？这种情况我想也相当普遍。

《弟子规》在讲完了"入则孝"第一个八句以后，又讲完了第二个八句，接着《弟子规》依然用一个相当的篇幅来进一步地告诉我们，应该如何从点滴做起，培养自己"入则孝"的习惯。而从"入则孝"开始，一步步开始养育自己的人格和道德准则。

《弟子规》接下来是怎么说的？请大家听下一讲。

第三讲　入则孝之二

事虽小，勿擅为；苟擅为，子道①亏。

物虽小，勿私藏；苟私藏，亲心伤。

亲所好，力为具②；亲所恶，谨为去。

身有伤，贻③亲忧；德有伤，贻亲羞。

①子道：子女应该做的。
②具：准备，置办。
③贻（yí）：遗留。

《弟子规》接下来，又规定了哪些事情是子女应该做的？哪些事情
是子女不应该做的？

《弟子规》接下来又更具体地提出了小辈、子女应该遵循的规矩，那么究竟哪些事情是做子女、做小辈的应该做的？哪些事情是不应该做的呢？有时我们为了能让父母高兴，满足父母的愿望，可能会给自己带来麻烦，那么在这种情况下，我们还应该去做吗？

　　在中国传统中，对于小辈的规矩是非常强调的，而且规定得非常细致。《弟子规》接下来就进一步细致地阐述和规定了小辈面对尊长所应该持有的礼节和要遵守的规矩。

　　"事虽小，勿擅为；苟擅为，子道亏。物虽小，勿私藏；苟私藏，亲心伤。"什么意思呢？一件事情，哪怕再小，再微不足道，小辈去做之前，最好跟长辈打个招呼，征求一下长辈的意见，不要擅自主张。否则就是我们今天讲的自说自话，不问别人意见，自己就做了。如果这么做的话。就"子道亏"了。什么叫"子道亏"呢？就是做小辈的，做子女的这个方面有点"亏"，有点做得不够，不是做小辈和做子女的最好方式。"物虽小，勿私藏"，一样东西哪怕再小，你也不要瞒着长辈偷偷把它藏起来。如果你把它藏起来，那么尊长的心里有时候会有一些忧伤，会感到不妥。这是我们非常容易忽略的事情，在今天看来，这说起来都很明白，但实际上我们今天做小辈的或者做子女的，往往很容易忽略。

　　"事虽小，勿擅为；苟擅为，子道亏。"在这一方面。今天比较多的情况是做小辈的，做子女的，好心办坏事。他们有的时候自作主张，倒不是为了惹长辈生气，而是认为没什么要紧就做了。我们都知道老人有老人的习惯，老人的习惯往往是不大容易改变的，你也没有任何理由强迫尊长去改变他的习惯。老人家的有些东西有固定的摆放位置。比如我父亲，有时候放东西很奇怪。我就说：爸爸，你是用右手的，又不是用左手的。怎么这个东西放得都不顺呢？不行。老爷子就喜欢这么别扭着去拿，你给他放顺手了，他拿着反而别扭，这是他的一种习惯。所以，当你把老人放惯的东西随便挪动而你又不在的时候，老人会很着急的。

老人也有一些自己非常珍惜的纪念物，而在我们小辈眼里这些根本不算什么。比如一张老人家的旧照片，泛黄了，破旧了，被水泡过了，缺个角了，但是老人家还视如拱璧，把它放在这里；比如一张20世纪50年代的劳模奖状，他天天挂在墙上，一定要每天擦拭，这是他珍贵的纪念物；比如一张旧报纸，没准哪一篇提到老人家的名字呢，这你不好说，老人家的名字也许这一辈子就被印过一次铅字，所以他也会看得很重。这些东西在我们小辈眼里常常会不以为然，搬家了，大家生活条件好了，这破东西给扔了吧，那么旧的东西有什么用？其实，这个做法对老人家是一种伤害。所以《弟子规》里这句话就很有道理："事虽小，勿擅为；苟擅为，子道亏。"如果你导致了老人家的不习惯，引发了老人家的不快，在某种程度上伤害了老人家一段非常特殊的记忆，那么做小辈的就没有做好。这当然不是《孝经》之道。

《孝经》

这部儒家经典，在唐代被尊为经书，南宋以后被列为"十三经"之一。传说是孔子自作，但南宋时已有人怀疑是出于后人附会。清代纪晓岚在《四库全书总目》中指出，该书是孔子"七十子之徒之遗言"，成书于秦汉时。从西汉到魏晋南北朝，对其进行注解的人不计其数，现在流行的版本是唐玄宗李隆基注，宋代邢昺疏，全书共分十八章。在中国自汉代至清代的漫长社会历史进程中，它被看做是"孔子述作，垂范将来"的经典，对传播和维护社会纲常、社会太平起了很大作用。

> 　　《弟子规》告诉我们哪怕是再小的事情，做小辈的也不能自作主张，必须事先告知长辈、征求长辈的意见。但是日常生活中毕竟都是些非常琐碎的小事，如果有时我们没及时告知长辈，而擅作主张了，难道还会引发什么严重的后果吗？

　　有一件事情完全可以印证《弟子规》的这段话，这件事情说出来大家会觉得很好笑，一件什么事情呢？这件事情不是发生在父子、母子之间的，而是发生在一个小辈和一个长辈，一个年轻人跟一个老年人之间。怎么一回事呢？有一家理发店，熙熙攘攘，顾客很多，大家就排着队等理发。这个时候进来了一位老人家，正好一位很年轻的理发师傅空着，就主动请老人家坐下来，先为他服务。当小伙子拿着剃刀给老人家修面时，发现老人家下巴这儿有颗痣，这痣上面长了几根毛，比较长。小伙子一看，觉得影响老人家的美观，一刀就把老人家痣上那几根毛给剃了。这一剃不得了，老人家哇哇大哭。为什么呢？因为老人家迷信，认为这是他的长寿毛：这几根毛是象征长寿的，给我剃了。这还了得啊？结果老人家不干了，老人家的子女也不干了，这件事情最后还闹上了法庭，法官很为难。

　　你说这件事情里面谁有过错？实际上谁都没有大过错。你当然不能说老人家错，老人家就这点信念：我这几根毛留了几十年了，留着我不生病，我会长寿，你给我一刀就处理了？那不行。小伙子也没大错，但错就错在没有按照《弟子规》中"事虽小，勿擅为"去做，你问一下老人家：您这几根很漂亮的毛毛是不是需要我帮您给剃了啊？如果老人家说需要，那就一刀；不需要，就给留着。如果这位工作态度非常积极的小师傅读过《弟子规》，知道这个话，多问一句，那么就是皆大欢喜的事了。

> 《弟子规》接着提出做子女、做晚辈的都不能私自藏匿东西，但是在越来越重视"个人隐私"的当今社会，很多孩子都有自己的"私人空间"，用来藏一些小东西，而父母不能随便翻看。那么"物虽小，勿私藏"还适用于现代家庭吗？

至于说"物虽小，勿私藏；苟私藏，亲心伤"，这主要是针对传统中国合族而居的情况讲的。我们知道传统中国都是大家族，几房子孙住在一起，大家会共同拥有一些财物，这些财物是属于大家族的，绝对不是具体属于某一房，更不是具体属于哪一个子孙的。这个时候，东西再小，你都不要擅自给它藏起来。如果不注意这个细节的话，就非常容易造成兄弟姐妹之间的小误解、小矛盾，久而久之，大家都会形成一个心结。因为一个小东西，你给藏起来，说又不值得，但时间长了会形成一块心病。如果一旦发生大事，就会想：你昨天拿了一把笤帚对吧？今儿少了一头牛。我看这头牛也是你牵走的。这样就会导致家族内部产生不必要的矛盾。

当今社会，像北京、上海、广州、深圳这样的大都市，甚至是广大的农村，这种大家族的情况没有了，都是一个个小家庭，那么这种情况相对来讲就比较少。现在的孩子都非常强调隐私，连幼儿园的小朋友都知道隐私。我儿子很小，但他就有隐私时间，他规定一天的某段时间父母不得进入他的房间。他称这段时间叫隐私时间。现在的孩子有时候藏一点小东西，尤其是读书以后藏一个日记本，藏两张小的游戏卡，有时候藏两封同学之间的通信、小条子，都不在《弟子规》规定的范围之内。因为现在情况不一样了，咱们不用按照《弟子规》说：你不能藏，藏了以后你让我这个做爸的替你担心了，你给我交出来。这不行，这样反而会惹麻烦。所以学习《弟子规》，有的时候要考虑时代的变迁。

> 我们现在理解了"事虽小，勿擅为""物虽小，勿私藏"的道理。那么《弟子规》接下来又提出了哪些小辈应该遵循的规矩呢？而这些规矩的背后还隐藏着哪些有趣的故事呢？

"亲所好，力为具；亲所恶，谨为去。身有伤，贻亲忧；德有伤，贻亲羞。"尊亲和长辈所喜好的，小辈应该尽力去办到；尊亲和长辈厌恶的、讨厌的、不接受的东西，小辈应该赶紧把它放弃掉。小辈的身体如果受伤了，那么就会让尊长担忧；小辈的品德若有污点，那么就会让尊长蒙羞。

"亲所好，力为具"是指小辈要尽量满足长辈的喜好，这在古代是孝道的基本要求。

我们在前面已经讲了很多中国传统孝道的故事，在这里我再给大家讲两个非常有意思的故事，以此印证中国古代这个传统。

第一个故事叫鹿乳奉亲。周朝的时候，有一个人叫郯（tán）子，从小非常孝顺，他的父母年纪大了，眼睛不好，突然有了一个很奇怪的习惯，就是喝鹿的奶。大家知道鹿是最警觉的动物，你打猎都很难接近它的。那么郯子怎么去搞到鹿乳呢？他想出了一个办法，那就是把自己打扮成一只鹿，披上鹿皮往深山里面爬，想这样接近鹿群，偷偷地挤一些鹿的奶，拿回来奉养自己的双亲。但是他万万没想到，就在他正要接近鹿群的时候，旁边有一个打猎的人正搭着箭在那儿瞄着。正当猎手举起弓箭要射他的时候，他赶紧高喊：我是人，不是鹿，我是想取鹿乳孝敬我眼睛不好的双亲的。猎人一看，知道原来他是人不是鹿，所以就没有射他。郯子就留下了一条命，而且成功地挤得了一些鹿奶，回去孝敬自己的双亲。这不就是我们讲的"亲所好，力为具"吗？

鹿乳奉亲

　　这个故事被收录在《二十四孝》中，在民间广为传播，以至历代统治者均视郯子为德、才、威、雅的化身。郯子作为春秋时郯国的第一任君主，除了有孝行，还非常博学，据《左传·昭公十七年》记载，孔子曾求见郯子，向他学习少皞氏用鸟来命名官爵的原因。郯子死后，后人建郯子庙、郯子墓、问官祠藉以凭吊。据有关资料载，当时郯子庙中塑有"三圣"、"四贤"像，其中"三圣"像即为孔子、老子、郯子。人们对郯子的崇拜之情由此可见。

　　还有一个是在《佛说睒（shǎn）子经》里边记载的故事。古印度有个国家，叫迦夷国，迦夷国里面有一个人叫睒子，这个睒子随着双目失明的父母一起到深山老林里去修行。生活当然非常困苦，但是睒子对父母非常孝顺，他平时和林子里的鹿混得很熟，因为大家都在森林里，经常一起生活。有一天，这个睒子还是像往常一样披着鹿皮去为自己的父母打水。哪知道，正好碰上国王来打猎，误以为他是一只鹿，就射了一箭，把睒子给射中了。而糟糕的是，这支箭是毒箭。临终前，这个印度孝子就把自己父母双目失明、生活非常困苦的情况告诉了国王，请国王开恩，能够照料自己的父母。最终，这件事感动了天神，天神赏赐给了仙药，不仅使这位印度的孝子睒子死而复活，而且使他双目失明的父母重见光明。后来，这个故事就随着佛教的传播传遍了中国。大家如果到敦煌莫高窟去旅游，就会看到敦煌壁画里面有睒子的故事。

> 中国自古就流传着很多子女努力去满足父母愿望的感人故事，甚至在《三国演义》中也有一个"亲所好，力为具"的典范人物。那么这是怎么回事呢？这个故事的主人公究竟是谁呢？

再给大家讲个故事，叫怀橘遗亲。在汉朝末年的时候有一位孝子叫陆绩，字公纪。他六岁的时候，就到九江去拜见袁术，袁术一看这个小孩年龄虽小，但乖巧又有才华，就很喜欢他，拿了当时非常珍贵的橘子去招待他。而陆绩却悄悄地把两个橘子藏在怀里，等到跟袁术告别的时候，他跪下来行礼，怀里的两个橘子滚了出来。袁术很奇怪：我请你吃

怀橘遗亲

这个同样收录在《二十四孝》中的故事，讲述了东汉陆绩作为一个六岁的孩童就知道爱母亲的孝行。有诗歌颂他说："孝顺皆天性，人间六岁儿。袖中怀绿橘，遗母事堪奇。"《二十四孝》中有几则是讲述孩子的孝行的，这一维度的故事突出一个主题，那就是爱父母是一种天性，是自然而然的人性。另外，这也回应了《孝经·开宗明义章第一》的"夫孝，始于事亲，中于事君，终于立身"，即在人生的第一阶段，在一个人是儿童的时候，就可以懂得孝顺双亲。

橘子，又没有规定你吃几个，你干吗藏两个橘子呢？陆绩就跪着说：我妈妈一向很喜欢吃橘子，我想把这两个橘子带回去孝敬我的母亲。袁术深受感动，陆绩也因这件事情名声显赫，作为"亲所好，力为具"的典范人物而留名青史。这个陆绩不是等闲之辈，也是历史上的真实人物，《三国志》里面有这个人的记载，他是今天江苏苏州一带的人，大概公元187年出生，公元219年去世，活了三十出头，很年轻就去世了。东汉末年，他是孙权手下的一个官吏，年纪轻轻就做到了郁林太守。他这个怀橘遗亲的故事非常有名，《三国演义》第四十三回《诸葛亮舌战群儒鲁子敬力排众议》，有一个人跳出来跟诸葛亮辩论，诸葛亮一看，陆绩啊？就看着他笑笑说："公非袁术座间怀橘之陆郎乎？"意思是：你就是那个在袁术面前往兜里藏起两个橘子的陆绩啊？由此看出，陆绩给诸葛亮的第一印象就是：你就是小时候藏橘子的那个人。

> 《弟子规》要求我们"亲所好，力为具；亲所恶，谨为去"，但是有时我们为了能让父母高兴，满足父母的愿望，可能会引起别人的误解，甚至会给自己带来很大的麻烦。那么在这种情况下，我们还应该去做吗？

"亲所好，力为具；亲所恶，谨为去"，这样的故事在中国传统中实在是太多了。而有的时候，古人为了做到这一点，还会引起别人的误解。为了让尊长高兴，尽量地满足尊长喜好，反而给自己带来麻烦，让人一时间看低了你，这个事情都是有的。

有一个非常著名的故事，叫毛义捧檄慰母心。这个故事见于《二十四史》里面的《后汉书》。东汉时期，虞江人毛义家里非常贫穷，但是他却以孝敬母亲而闻名。当时有一位南阳太守张奉，慕名到毛义家里拜访，正好碰到一件事情，什么事情呢？因为毛义名声太高，朝廷就委任他当安阳县令。南阳太守到他家拜访的时候，这个委任状正好送到毛义家。南阳太守看到毛义欢天喜地，捧着这个诏书又跳又蹦地去跟妈妈禀告：妈妈，我当官了，妈妈，我当官了。这一下，南阳太守不就对他印象很坏吗？原来你是一个热衷于功名的人啊！外面说你很清高，怎么刚收到委任状就忘乎所以，欢天喜地。所以一时间大家对毛义印象很坏，觉得他就是个伪君子，一旦当官，尾巴都露出来了。毛义没有申辩，你怎么申辩？然而几年以后，毛义的母亲去世，他马上辞官回乡，守着母亲的墓再也不出来。朝廷几次三番以更高的官位请他出山，都被毛义拒绝。这个时候，那位南阳太守和曾经误解毛义的人才明白，毛义之所以在当时欢天喜地，活蹦乱跳，向母亲报喜，就是想让妈妈知道自己的儿子也有为社会服务的一天，有得到朝廷重用的一天，这都是为了让妈妈高兴而已，并不是说他内心真的多想当官，如果他官迷心窍，怎么后来朝廷几次三番征召，他都不出来呢？这一下大家才知道。毛义真正是"亲所好，力为具"，因为妈妈希望看到儿子有出息，所以我要努力去做。

这样的故事在中国传统中还有很多，像"亲所恶，谨为去"在传统当中也有数不清的故事。有些故事今天我们都难以理解，而且也没有必要去效仿。但是我们可以看到，在古代的确有很多人是这样去做的，这样去对待尊长的。而《弟子规》里面貌似很简单的话，都是从这些活生生的事例当中总结、归纳出来的。

很多人认为只要把父母照顾好了，就是孝敬父母。但是《弟子规》却认为"身有伤，贻亲忧；德有伤，贻亲羞"，如果我们自己受伤了，或者自己品德有问题，也是不孝，这是为什么呢？

古人讲："身体发肤，受之父母，不敢毁伤，孝之始也。"我的身体、我的头发、我的皮肤都是父母给的，如果我**要孝敬父母，就应该善待自己，好好爱护父母给的这个身体，这才叫孝心。**所以古代的男子是不理发的，都要把头发留着。但是古人有的时候也以此表示一种极端的感情：如果你收到女孩子带过来的东西，发现里边有几根头发，那么事情就大了，你就要赶快把人家娶回来，因为这个女孩子已经认为我生是你的人、死是你的鬼了，因为连头发都给你了。男的也有这么做的，一代枭雄曹操，行军途中马惊了，进了庄稼地，把庄稼给踩坏了。曹操事先约法三章，谁敢扰民，谁行军踩坏庄稼，一律砍头。这一下曹操自己的马毁了庄稼，没人敢砍曹操的头，曹操也不打算砍自己的头。这个时候怎么办？曹操拔出宝剑，割下一绺头发，给大家看：我割头发了，就替代砍头。所以说古人把这个看得很重，这个就叫"身有伤，贻亲忧"。你万一受伤了，家长、尊长会担忧的，那就是不孝。"德有伤，贻亲羞。"如果品德有污点，这孩子也许沾染上很不好的毛病，如小偷小摸、赌博，有了一些不良的行为，这是让尊长蒙羞的。你自己干坏事，不仅本人要遭到大家的白眼，遭到大家的唾弃，而且大家还会说一句话："养不教，父之过。"还有更俗的话，叫"有人生没人教"。这都是骂到父母身上的，所以千万不能胡来。

古人对孝敬的定义或者对孝敬方面的要求实际比我们想象的要宽广

得多。我们今天的人活得很容易：父母饿不着、冻不着，父母万一要出去，还开车送他们一段；父母生病了，有医保，我还替爸爸妈妈找好医院，我这就是孝敬。在古人看来，这是孝敬的一部分，不是孝敬的全部。你如果真要孝敬尊长，你就要**保护自己的身体健康，茁壮成长，洁身自好，远离各种坏习惯，不要沾染坏毛病，这才叫真正的孝敬**。所以我们不要把我们传统文化当中的某些概念简单化、狭隘化，好像我们认为孝道就是小辈对长辈好。其实不是这样的，**孝是一种有机的互动，孝是尊长和小辈之间爱的交流**。这样的孝道绝对不是单方面的。长辈和小辈之间的关系是非常复杂的。特别是在中国传统社会大家族的背景下，不像今天那么简单，《弟子规》考虑了两种因素："亲爱我"怎么办？如果尊长很爱我，很宠爱我，我应该怎么办？"亲恶我"怎么办？如果尊长不喜欢我、讨厌我，我应该怎么办？所以《弟子规》尽管很短，篇幅很小，但是言简意赅，把方方面面的情况全部考虑到了。而这就是我们在下一讲将要介绍的《弟子规》的内容。

第四讲　入则孝之三

亲爱我，孝何难？亲恶我，孝方贤。

亲有过，谏使更①；怡②吾色，柔吾声。

谏不入③，悦复谏；号④泣随，挞⑤无怨。

①更：改变。
②怡：和悦。
③入：指采纳。
④号：大声哭。
⑤挞（tà）：鞭挞。

在日常生活中，父母和子女之间会出现各种复杂的情况，如果父母不喜爱我们，我们做子女的应该怎么办？如果父母犯了错，我们又该怎么办呢？

在这个世界上。绝大多数父母都是非常疼爱自己子女的，但是当父母不喜爱我们的时候，我们做子女的应该怎么办呢？俗话说"天下无不是的父母"，可是在现实生活中。父母所说所做的一切难道都是对的吗？如果父母犯了错，子女又应该怎么办呢？针对这些父母和子女之间可能出现的复杂情况，《弟子规》究竟给了我们哪些好的建议呢？

《弟子规》接着讲到的是"亲爱我，孝何难？亲恶我，孝方贤。亲有过，谏使更；怡吾色，柔吾声"。这段话的意思是，长辈很爱我，那么我孝敬长辈有什么难的呢？长辈很爱我嘛，那么我也回报长辈以爱，没有什么难的啊！"亲恶我，孝方贤。"如果尊长不喜欢你。甚至在某种程度上讨厌你，在这样的情况下，你还对长辈孝敬，这就显出你的贤明了。"亲有过，谏使更"，如果尊长有一些过错，有一些过失，有一些做得不当的地方，你应该劝谏，让尊长有改过的机会。但是在劝谏的时候要"怡吾色"，你不能板着脸，用批斗的态度去跟尊长说话，这不行，你要笑嘻嘻地跟尊长进谏。"柔吾声"，声音要放低一点，轻柔一点，柔和一点。这是《弟子规》的规定。

我们知道，长辈对孩子的爱实际上是普世的，这并不是我们中华民族所特有的，全人类几乎没有不爱自己孩子的父母，也几乎没有不爱孙辈的祖辈。在不同的文化里面，在不同的传统里面，这种爱的表现形式会有所不同，但基本精神是一样的。有一位作家叫刘墉，他提到一段早期因纽特人的习俗：一旦孙辈出生，上了年纪的爷爷奶奶就会默默无声地走向荒凉的冰天雪地深处结束自己的生命。为什么呢？因为他们那里的自然环境太严酷，没有那么多食物，养不活那么多人。这是一种牺牲

自我的爱。当然这是早期的因纽特人，在因纽特文化当中，它表现得更极端一点，这是由于自然环境的限制造成的。

中国以计划生育为基本国策。据说，三十年前，最早一批领独生子女证的有六百八十多人；三十年后的今天，中国的独生子女已经超过一亿。而现在"独二代"已经来到这个世界上了。一般而言，一个孩子起码有六个长辈宠着：爷爷、奶奶、外公、外婆、爸爸、妈妈，真的是六双手捧着怕掉了，六张嘴含着怕化了，所以现在的孩子都非常受宠。"亲爱我"，在今天应该不是个问题。长辈爱小辈，在今天怎么会是个问题呢？但是也恰恰是在今天，孝的缺失成了一个社会问题。如果按照《弟子规》讲："亲爱我，孝何难？"长辈爱我，我孝敬他有什么难的？但是恰恰在今天，好像孝敬变得很难，这里面就有值得我们深思的问题。

> 在这个世界上，绝大多数父母都是非常疼爱自己子女的，那么父母疼爱我们，我们做子女的当然也要孝敬父母，但是当父母不喜爱我们，甚至讨厌我们的时候，我们做子女的还应该不应该孝敬父母呢？

《二十四孝》的第一孝是什么呢？孝感动天。这是舜的故事，舜是传说中远古的帝王，五帝之一，他的父亲瞽瞍（gǔ sǒu）和他的继母还有一个孩子叫象，四个人组成一个家庭生活在一起。瞽瞍是一个有点痴傻的人，舜的继母和舜同父异母的弟弟象几次想害死舜，比如舜修补谷仓时，他们两个人在下边放火，想要把舜给烧死，结果舜就拿着两个斗笠从谷仓上跳了下来；舜在挖井的时候，他的亲生父亲瞽瞍和他的同父异母弟弟象就在上面倒土，准备把舜给活埋了，舜便挖了一个"U"字形地逃掉了。即便这样，舜依然对父母非常孝顺，对异母弟弟非常关爱，所以舜的孝行感动了天地。在中国的传说当中，舜在历山耕种，几只大象帮他耕地。鸟代他除杂草。尧帝听说了舜的这种德行，就把自己的两个女儿嫁给了舜，并且把王位禅让给了他。舜在做了天子以后，依然对他的父亲以及很憎恶他的继母恭恭敬敬，恪守孝道，还把他那个异母弟弟封为诸侯。

> 中国自古就流传一句话："天下无不是的父母。"但是《弟子规》却提出"亲有过"，认为父母也会犯错。那么在现实生活中，父母所说所做的一切究竟是不是都是对的呢？如果父母犯了错，做子女的又应该怎么办呢？

读古书千万不能掉以轻心，不能想当然。《弟子规》当中有句话叫"亲有过，谏使更"，尊长如果有过错，那就要加以劝说，使长辈改过。大家千万不要小看这六个字，为什么？因为我们是不是一度认为"天下没有不是的父母"？我们是不是也一直听说，父要子死，子不得不死？我们是否把这些说法当做儒家的传统？当做中国的传统？我们一度都是这么认为的。但是，《弟子规》告诉我们，这可不是中国真正的传统，中国传统里没有"天下没有不是的父母"这种精神的。中国传统里的话，恰恰是《弟子规》讲的，"亲有过"，也就是说尊长也是可能犯错的。换句话说，父母也不见得是全对的。碰到这种情况，你就要"谏使更"，为什么用劝谏的"谏"字，因为儒家是讲长幼有序、尊卑有序的。**尊长有错。小辈可以批评，但是因为你是小辈，所以你对尊长的批评要格外地注意方式方法，应该采取谏的方式。**什么叫"谏"？按照《现代汉语词典》的标准解释：用言语规劝君主或尊长改正错误。一般来讲，劝谏的态度要尊敬，语言要婉转。而在现实生活当中，也有长辈确实有做得不妥的地方，小辈给长辈指出来时往往不注意场合，不注意态度，不注意方法，不注意言语，上去就是一通指责：你岁数这么大了，怎么还不懂道理啊？

这种做法是不对的，在传统文化当中是不允许的。传统文化当中承认尊长可能犯错，传统文化当中也承认小辈有权利，甚至是应该向长辈指出他的错误。但是同时，小辈必须注意自己的态度。注意自己的言语，考虑到自己的身份。维护尊长的地位和威信，这是传统要求。而这一点我们现在往往不注重。所以《弟子规》要求小辈首先要做到"怡吾色，柔吾声"。你不要铁青着脸跟长辈说话，你要笑嘻嘻地、轻轻松松地、婉转地向长辈进谏。而且你这个声调也不要太具有刺激性和针对性。在这方面，我碰到过一件事情，有的时候我们还真的要向一些小孩子学习。

我有两位朋友，他们是一对夫妻，两人关系很好，但性子都急，动不动就掐架。有一次，他们又吵架了，你一句，我一句，你不让我，我也不让你，都没有做到"怡色，柔吾声"。这个时候，他们的儿子睡醒了，坐在床上，看着他爸爸妈妈吵架，鼓起了掌，还说：加油加油，爸爸加油，妈妈加油。这么一弄你说爹妈还吵得下去吗？吵不下去了，又没有什么深仇大恨，一家人嘛。从今往后，他们家就形成一个非常有趣的习惯，就是夫妻两个刚想掐架，突然就说：要不咱们再加次油？也就不再吵了。其实倒是这个孩子在"亲有过，谏使更；怡吾色，柔吾声"，他做得最好。

> 《弟子规》指出，如果父母有过错了，子女应该和颜悦色、态度诚恳地规劝父母改正，但是有时即便我们好言劝谏，父母也不一定就会接受。那么如果父母非常固执，不听我们的劝说，我们又该怎么办呢？

　　《弟子规》接着讲到的是："谏不入，悦复谏；号泣随，挞无怨。"如果你进谏了，尊长不听，你等时间长了尊长心情好一点了，再次劝谏。如果劝谏还不听，那小辈就不惜哭谏，你要哭：爸爸，你这样不对，妈妈，你这样不对。这就是"号泣随"，紧接着就来这一手。假如你哭得太烦人，把长辈惹恼了，揍了你一顿，你还要无怨，这就是"挞无怨"。《弟子规》里的这些话在历史当中都是有依据的。

　　我给大家讲一个"号泣随"的故事，这个故事的主人公就是鼎鼎大名的唐太宗李世民。只不过那个时候他还没有当皇帝。隋唐之际，李世民的父亲李渊率军东征西讨，儿子李世民是他手下最重要的将领和最重要的助手。根据《资治通鉴》的记载，李渊起兵的第一仗是从太原开始的，当时他担任太原留守。碰到的第一个劲敌就是一个叫做宋老生的人，在这一仗刚要打的时候下起了连绵阴雨，一时间道路泥泞，军粮匮乏。这个时候又传来一个消息，说李渊的另外一个对头刘武周居然和北方的突厥联手，准备抄李渊的后路。那么这个仗现在怎么打？前面有劲敌，后面有追兵，李渊和很多人决定退回太原，这仗不打了。但李世民认为刘武周要抄后路的消息是讹传，坚持应该坚定军心，攻灭对面的这个宋老生。李渊不听，断然地拒绝了李世民的劝谏。李世民劝谏了几次，李渊都不听。怎么办？撤军令马上就要下达了。情急之下，李世民来到了李渊住的帐篷门口，但是守卫的亲兵不让李世民进去，李世民就在帐篷外面号啕大哭，哭声震天，这一下把李渊给哭醒了。李世民通过最后一次努力，让李渊接受了自己的建议坚持打下去。这一仗在某种意义上讲是影响了中国历史进程的。如果没有这一仗，后面有没有唐朝都难说。这个"号泣随"的故事，也叫哭谏追师。

《弟子规》要求我们劝谏父母，除了要做到"号泣随"，还要做到"挞无怨"，也就是即使父母责打我们，我们做子女的也应该毫无怨言地接受。然而在当今社会，父母责打子女的情况已经很少了，那么在古代如果父母责打子女，做子女的又是否能够做到《弟子规》里要求的"挞无怨"呢？

在中国古代有一个伯俞泣杖的故事。韩伯俞是汉代梁州人。非常孝顺他的妈妈，妈妈也很疼爱这个儿子，希望他能早日成才，所以对他要求很严厉，只要韩伯俞做错事情，妈妈就用手杖揍韩伯俞。每当这个时候。韩伯俞都是低着头、躬着身乖乖地挨打，不申辩，也不哭，直到母亲打完了，气消了，他才"怡吾色，柔吾声"地向母亲解释，比如不一

伯俞泣杖

这个故事记载于西汉刘向所著的《说苑·建本》。元代关汉卿在《陈母教子》第三折中也曾提及："你孝顺似那王祥卧冰，你恰似伯俞泣杖。"《陈母教子》全名《状元堂陈母教子》，现传版本有明万历间脉望馆钞校内府本、《孤本元明杂剧》本，写的是宋代冯氏教子读经，三子先后皆中状元，母贤子孝，奉旨加官赐赏的故事。

定是儿子做错了，可能是你老人家误解了等等，一定要让妈妈转怒为喜，韩伯俞才高兴。后来，韩伯俞年纪大了，母亲也老了。有一次，韩伯俞又因为一件事情惹老太太不高兴了，老太太拎起手杖就要教训儿子，韩伯俞像过去一样不声不响地低着头、躬着身让妈妈打。但是打了两下，老太太突然发现韩伯俞哇哇哇地哭。老太太很震惊：小时候我打过你很多次，你从来不哭，怎么今天你突然哭了？是不是妈妈把你打疼了？哪知韩伯俞说：母亲，您以前是打疼我的，那让我知道您身体健康，有力气，所以我内心还很庆幸。可今天您打我，我一点都不疼了，我就知道您年纪大了，身体不好了，所以我才哭啊。

关于伯俞泣杖的故事，被民间传为佳话。在今天安徽的一个乡村，村后有一个祠堂的遗址，这个祠堂就叫泣杖祠，以驯化后人。

> 伯俞泣杖的故事告诉我们，古人确实能做到《弟子规》所提出的"挞无怨"，然而这种"挞无怨"，在我们现代人看来还是有些难以理解，难道说让父母随便地责打，这就是孝顺吗？

儒家当然绝对不是一味地认同尊长对小辈进行鞭挞体罚，儒家有一个规矩叫"小杖受，大杖走"。这个大杖和小杖不是指棍子的大小，而是指打得重和打得轻。儒家强调，如果长辈轻轻地打你几下，你就熬一熬，让长辈的气散一散，但是如果长辈暴打你一顿，你就要赶紧逃掉，不能让长辈打。这也是有依据的。第一，说明儒家对体罚不是完全认同的，儒家从来没有完全认同过长辈可以随意对小辈体罚，这个体罚是有一定限度和节制的。在传统中，一个非常重要的儒家圣人级人物曾子身上就发生过这样的故事。

有一次曾子的爸爸认为曾子做错事了，就拿起一根棍子劈头盖脸地打过去。曾子认为自己很孝顺，所以没有逃避，结果被老人家一棍子给打晕了。过了不久，曾子醒过来了，头上顶着一个巨大的包，跑去把这件事情告诉孔子。他满以为孔子会表扬他很孝顺，被老爸这么揍了都不逃嘛。哪知道孔子狠狠地教训了他，说：你以为你这是孝？我告诉你。应该小杖受，大杖走。老人家火气这么大，这样打你，你不走，万一老人家失手把你打死了怎么办呢？万一老人家不知轻重把你打傻了呢？你这不是让你的父亲担上杀人罪名吗？这难道是孝吗？

这是儒家非常经典的故事。换句话说，你这个时候要采取逃的方式，以免你父亲因为一时火气大而伤人或杀人。如果让你父亲背上了这样的罪名，你这做儿子的反而是不孝。所以我们现在很多人在讨论传统文化时，认为长辈可以随便打小辈，小辈怎么都不能反抗，认为很残酷，其实这个话是不对的。《弟子规》的"挞无怨"也是有界限的，不是说怎么打都无怨，而是说小杖、轻微的、不伤害身体的、惩戒性的惩罚你不要怨。但是如果是大杖，你就要走。

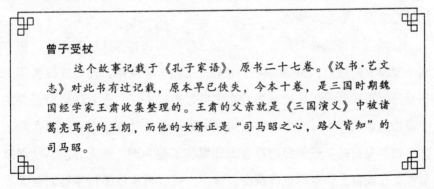

曾子受杖

　　这个故事记载于《孔子家语》，原书二十七卷。《汉书·艺文志》对此书有过记载，原本早已佚失，今本十卷，是三国时期魏国经学家王肃收集整理的。王肃的父亲就是《三国演义》中被诸葛亮骂死的王朗，而他的女婿正是"司马昭之心，路人皆知"的司马昭。

> 《弟子规》要求我们孝敬父母，要做到"挞无怨"，然而在当今社会，是不提倡父母打孩子的，那么对于今天的孩子，还有必要要求他们做到"挞无怨"吗？

至于"挞无怨"，就是如果长辈要打你、揍你，你不要心怀怨恨，这在中国传统当中是理所当然的，但在今天就不一样了，今天哪个长辈拎着个棍子追着小辈跑？一般没有的，不舍得啊。现在我们强调长辈对小辈、老师对学生不能实行体罚。实际上体罚这个问题不能简单地看，我告诉大家两个关于"挞"的例子。第一，2006年英国通过一项决议，允许教师在合适的情况下，采取包括身体接触在内的方式强制学生遵守纪律。换句话说，不排除可以动手的。第二，如果大家今天到新加坡去旅游，就会发现新加坡中小学教室的后墙上都挂着一把戒尺，但是轻易不用。用这把戒尺有好多严格的规定，比如要有两个教师同时在场，比如只许打孩子的手心。绝不能打头，否则那是违法的。所以"挞"的问题很复杂，我们如何理解它，实际上是需要考虑不同的文化背景、不同的社会情况，要非常慎重。

台湾著名作家张大春有一儿一女，哥哥叫张容，妹妹叫张宜。张宜这个女孩非常可爱，但是有一个毛病——经常丢东西，曾经连续丢了三根直笛。而最后一次她把哥哥的直笛借过去也丢了。张大春想要管管这个事情。张大春小时候也经常丢东西，他讲他小时候只要不是长在身上的东西都会丢掉。张大春的尊翁因此狠揍了他一顿，张大春说，从那以后不长在我身上的东西也像长在我身上一样，再也没丢过东西。张大春今天准备对女儿动"大刑"，他在家里犹豫了半天，做了非常详尽的布置和各种心理准备，像上战场一样准备了一根比直笛粗一倍的棍子，拿在手上等女儿回家。趁女儿还没回家，他一个人在家拿着这根棍子先试试轻重，右手拿棍子打自己左手几下，左手拿棍子打自己右手几下，女儿还没挨打，爸爸自己把自己先揍了半天。总算等到女儿回来了，他还下不了决心动手，先跟女儿进行说理教育：你认为一而再、再而三地丢东西该不该打？女儿看着他，摇摇头：不该打。张大春一下就晕了，他原来满心指望女儿说该打，他就可以心安理得地轻轻打两下，但现在女儿说不该打。张大春就问他女儿：你以为爸爸喜欢打你吗？他的潜台词是我不喜欢打你，我也不舍得打，但是我必须打。哪知道女儿看着爸爸笑着说：你就是喜欢打我。这又把张大春搞晕了，过了一会儿，张大春连那根棍子都找不到了。所以大家看，父母真要下决心打孩子，那得下多大的决心啊！

所以，《弟子规》里面的"挞无怨"在今天实际上是基本谈不上的。

《弟子规》充分地考虑到了尊长和小辈之间相处会出现的各种场景，接下来就考虑到当尊长老了以后，当尊长身体不好、生病以后，小辈应该怎么样对待尊长。请大家听下一讲。

清·查士标·唐人诗意图

第五讲　入则孝之四

亲有疾，药先尝；昼夜侍，不离床。

丧三年，常悲咽；居处变，酒肉绝。

丧尽礼，祭尽诚；事死者，如事生。

俗话说，久病床前无孝子。父母生病了，子女究竟应该怎样做，才是真正的孝顺呢？

俗话说,久病床前无孝子,那么如果父母身体不好,父母生病了,子女又应该怎样做,才是真正的孝顺呢?《弟子规》在"入则孝"的篇尾还提出,如果父母去世了,子女应该遵守的规矩和礼仪。但是现在时代不同了,《弟子规》的要求还有必要遵守吗?

尊长或者父母、亲友,都是吃五谷杂粮的凡人,既然吃五谷杂粮,那么谁都逃不过病这一关。一般的人上了年纪,往往会出现这样那样的病痛。遇见尊长生病了,小辈应该怎么做?这也是《弟子规》考虑的一个方面。

《弟子规》讲:"亲有疾,药先尝;昼夜侍,不离床。"如果尊长生病了,小辈要先把药尝一尝,要白天黑夜伺候在病人身边,不要离开尊长的病床。这里边当然也有几点要解释的。古代的中国人,起码汉族人,基本上都是服用汤药。而这个药煎煮好了以后,小辈应该先尝一尝,是不是太烫?然后再给尊长服用。我小时候时常看到我祖母喝药,当时觉得很奇怪,以为药好喝,因为我看见我父亲、姑妈给我祖母送药的时候,都自己先尝一口的。有一天,我见奶奶碗里剩下一点药,就偷喝了一口,这一口差点没苦死我,这是我第一次知道中药有多苦。而"昼夜侍,不离床",这个床就是指我们今天这样的床,唯一不同的是,古人睡的大多是架子床,床外边还有一块踏板,旁边有个柜子,有的床旁边还有个小椅子,可以让人坐在上面守夜,或者躺在踏板上的。我们知道,在古汉语里面床的意思很多,但是,《弟子规》里这个床毫无疑问就是指我们今天睡的床。而这样的语句我们也要注意,《弟子规》、《三字经》等中国蒙学读物,貌似简单,其实不简单。里边的话应该说每一字都有来历,我们讲了那么多历史故事,就是要说明它是从历史事实当中总结出来的,

《礼记》

　　中国古代一部重要的典章制度书籍，编订者是西汉礼学家戴德和他的侄子戴圣。戴德选编的八十五篇本叫《大戴礼记》，在后来的流传过程中若断若续，到唐代只剩下了三十九篇。戴圣选编的四十九篇本叫《小戴礼记》，即我们今天见到的《礼记》。这两种书各有侧重和取舍，各有特色。东汉末年，著名学者郑玄为《小戴礼记》做了出色的注解，后来这个本子便盛行不衰，并由解说经文的著作逐渐成为经典，到唐代被列为"九经"之一，到宋代被列入"十三经"之中，为士者必读之书。

　　而且有的时候，甚至整句都是从古籍当中来的。比如这里"亲有疾，药先尝"就来自于《礼记·曲礼下》："亲有疾，饮药，子先尝之。"所以《弟子规》就把《礼记》里的话，重新做了一个安排，用到了里边。

> 一个人是否真正孝顺，在父母生病的时候最能够看出来，尤其是当父母病重，长时间卧床不起的时候，更是考验着子女的孝心。而在中国古代就有很多尽心尽力照顾久病父母的故事，其中尤其以汉文帝"亲尝汤药"的故事最为感人，那么这个故事究竟有什么特别之处呢？

　　小辈在尊长有病的时候要先尝汤药。要衣不解带，这是中国传统提倡的很基本的孝心。这样的例子，这样的故事，翻开史书，触目皆是。在这里，我再从《二十四孝》里边举一个例子。

　　这个故事叫亲尝汤药，故事的主人公不是一般人，而是汉文帝。刘邦建立了西汉政权，汉文帝就是刘邦的第四个儿子，叫刘恒。刘恒是一个有名的孝子，他对母亲非常孝顺，从来也不怠慢。

他还没有成为皇帝的时候，他的母亲得了病，这一病就是三年。刘恒急坏了，他贵为皇子，亲自为母亲煎汤药，日日夜夜守护在母亲的病床前，每次都要等到母亲睡着了，他才趴在床边睡一会儿。但是大家要记住，汉朝没有床，汉朝人像日本人今天的睡法一样，也是睡在地上，所以刘恒就在台阶底下，或者在母亲的卧席旁边，趴着睡一会儿。他每天都为母亲煎药，而煎完了药以后，自己总是先尝一口，看看药苦不苦，烫不烫，自己觉得差不多了，才送给母亲喝。这个故事见于《史记·袁盎晁错列传》。刘恒孝顺母亲的故事，在朝野广为流传。当然，也有学者讲，他之所以要亲自尝一尝汤药，是为了防范别人对他母亲下毒，因为那个时候有宫廷斗争。如果真是这样，不正说明刘恒的孝心更大吗？因为如果有人下毒，不是他先死吗？而我们说的久病床前无孝子，也是中国过去一种看透世态炎凉说的话，但是刘恒毫无疑问是个例外，母亲卧病三年，他一直这么伺候。汉文帝以仁孝之名闻天下，是中国历史上一个盛世的主人公，他在位期间，汉朝很快恢复了生机，人口快速增长，社会生产快速恢复，他多次颁布诏令，要赈济孤寡老人，还在国子学中设立了《孝经》博士，提倡讲授《孝经》。所以他在位的时候赢得了民心，改良了社会的风气，培养起了社会的一种内在的生机，这就有了著名的"文景之治"。

> **晚清名臣张之洞，是清朝洋务派的代表人物，素来非常孝顺父母，但是在一封家书中，张之洞却承认自己犯了大不孝之罪，是个不孝子。那么张之洞究竟做了什么大不孝的事呢？**

我再给大家举一个非常著名的人物张之洞，这是一个了不起的人。在中国清朝晚期向西方学习的过程当中，他是立过大功的。今天的武汉之所以有如此好的基础，是离不开张之洞的。而他，也是一个非常孝顺的人。

张之洞在外边当官时，寻找了很多补药寄回家去，但是这补药不一定适合他父母服用，所以他父母一服用，胃就不舒服了。张之洞就写了一封信给他父母，他讲："今若果系胃病，由误服补药所致，则儿之罪实通于天。"（《致双亲书》）他讲，我的罪通于天，好心干了坏事，马上检讨。怎么检讨呢？"不知医道者，不可以为人子。"这是中国古代传统。就是说，如果子女对医学的东西一点都不懂，是没有做儿女资格的。中国古代为什么有那么多民间中医？古代又没有像今天中医药大学这样的学校，而是父母久病，子女成良医。父母病，为了尽孝，尝药，不停地尝——中医是一个经验科学，然后慢慢自己就通医理了，就成为医生了，而张之洞接着讲："儿枉读书二十余年，而竟于事亲之道，有所未尽，且罔轻重，陷父亲大人于此，更痛恨无极。"他是进士出身，一甲第三名，就是探花，他说自己枉读了二十多年书，居然对于伺奉尊长之道都没有学透，没有学精。他不懂医，所以他心里过不去。接下一段话可真的是太感人了。他讲："昨日考试生员，出题'父母惟其疾之忧'，试卷中有袁凡一篇，沉挚剀切，已令儿挥泪不已，且看今日坐堂上，以此命题，皇然一孝子面目，而不知身已犯大不孝之咎。"什么意思啊？张之洞说，昨天他当考官去考试生员，考试秀才，因为父亲生病，所以他出了一道题，叫"父母惟其疾之忧"。其中有一个叫袁凡的考生写了一篇文章，让张之洞深受感动。感动之余，他说：我真的是不像话，父母惟其疾之忧，"皇然一孝子面目"，不知道的人还真以为我是大孝子，我坐在考台上出了这么一个题，"而不知身已犯大不孝之咎"。谁知道我犯了大不孝的过错啊？因为我不懂医道，我没有好好读书，我误把不合适的补药寄给了父亲，导致父亲不适。

　　一代名臣张之洞对孝道有这样的体验，这当然很难得。我们今天在医院里经常看到陪父母检查身体的小辈，这些小辈不仅是为了尊长跑前跑后。而且好多小辈会盯着医生一个个问题问：这个药到底有什么用？这个药吃了有什么副作用？这个药可不可以多吃点或少吃点？这就是孝子，这就是孝敬，因为这个药不是他吃，他是陪着父母或者尊长来，这就很感人。

　　　　《弟子规》在"入则孝"的篇尾还提出，如果父母去世了，子女应该遵守的规矩和礼仪。那么《弟子规》都提出了哪些具体的要求呢？为什么父母去世后，古人首先要求子女必须守孝"三年"呢？

　　在中国传统中，小辈尽孝道还有一个非常重要的组成部分。《弟子规》是按照顺序讲下来的，前面讲到了尊长生病，那么后面就会讲到尊长的身后事。所以。中国传统小辈对尊长尽孝道。还有一个非常重要的事情要做。那就是妥帖地办好尊长的丧事，这个很重要。

《弟子规》讲："丧三年，常悲咽；居处变，酒肉绝。丧尽礼，祭尽诚；事死者，如事生。"丧三年，你要守三年之丧，这是中国最重的丧，守三年之丧，要经常感到悲哀，有的时候你会哭泣，会哽咽；"居处变"，你日常居住的地方要改变；"酒肉绝"，你不能再喝酒吃肉了；"丧尽礼"，丧礼要完全按照礼节来办；"祭尽诚"，祭祀的时候，一定要诚心诚意："事死者，如事生"，你对待死者要像他还活着时那样。这是《论语》的话，《弟子规》引用过来的。

为什么说"丧三年"？为什么说父母去世子女要守孝三年？这个三年实际上是二十七个月，九个月算一年。所以守孝二十七个月以后才出这个丧期。为什么是二十七个月，按照中国传统的认定，哺乳期二十七个月，所以子女应当在父母过世后守孝二十七个月，这是当三年讲。按照传统的丧礼，不能再住在原先的房子里，过去讲究的人家要陪着已逝的尊长，在墓地旁边搭着茅草屋住着，而住的时候，不能用枕头，不能用床，铺上一点稻草睡下，拿一个土块做枕头，这是中国传统当中，标准的对于丧礼的要求。这就叫守孝二十七个月。在这个过程当中绝对不能喝酒，不能吃肉。很多事情都要断绝。中国古人把守孝看得很重，如果家里尊长去世，无论你当多大的官，知道情况以后马上报丁忧，立刻向皇帝禀告，回家守三年孝去。如果正好赶上三年丧，考科举都不能参加，如果你瞒着去考，被查出来或者被检举，一辈子就完蛋了。假如国家有大事，你又很重要，而这个时候家里边又有尊长去世的话，那么皇帝就要下令夺情，颁发诏书。为什么？国家离不开你。而这个时候所有的臣子都是要再三推辞：我一定要回家，我要守孝，我官不当了。这个时候皇帝要求你"移孝作忠"，把你的孝心移过来，作为对国家的忠心。

如果一个人移孝作忠，为国家效力，不仅会得到很多人的尊重，有时候还会得到敌对方的尊重。明朝末年，清兵入关，跟明朝打仗，有一位兵部尚书卢象升丁忧，被崇祯皇帝夺情，派去率兵打仗，结果卢象升战死在前线，几千铁骑也随之全部牺牲。这个时候，清兵要找卢象升，他们知道明朝有个兵部尚书战死了，但横尸遍野，尸体也不好辨认，怎么才能找到卢象升的尸体呢？这个时候，有人找到了。为什么？因为卢象升身上穿的是盔甲，里面却是麻衣，就是孝服，麻布服。清兵虽是明朝的敌对方，但依然下令厚葬卢象升。因为清兵认为这个人道德非常高尚，所以大家非常尊重他。这就是中国传统当中非常有名的故事。

> 众所周知，董永和七仙女的故事，是一个美好的爱情故事，但是我认为，这个故事其实是一个关于孝，关于"丧尽礼，祭尽诚"的故事，这是为什么呢？真实的董永和七仙女的故事究竟是怎样的呢？

董永是东汉时期乐安国人，就是今天山东滨州和博兴、高青这一带人。董永少年丧母，因为要躲避战乱，就逃到了安陆，也就是今天湖北境内。逃过去以后，董永父亲又亡故，董永就把自己卖给了一个富豪人家做奴仆，用这个钱来埋葬自己的父亲，这就叫做卖身葬父。在出工的路上，董永在槐荫遇见一个女子，这个女子跟他讲：我也无家可归，孤苦伶仃的，不如咱们俩结为夫妇吧！于是，两个人就结成了夫妇。随后，这个女子用一个月的时间织成了三百匹锦缎，帮董永把自己给赎出来了。而返家时经过槐荫这个地方，这个女子告诉董永：我是仙女，奉老天之命，来替你还债，因为老天觉得你是大孝子。言毕，这个仙女凌空而去。后来，这个故事改变了一个地名——槐荫，槐荫后来就改名为孝感，孝感动天嘛。20世纪50年代，著名黄梅戏表演艺术家严凤英和王少舫主演了电影《天仙配》，这是一个缠绵悱恻的爱情故事，实际上最早记载这个故事的是东汉刘向的《孝子传》，里面只有董永卖身葬父，没有他认识七仙女什么的。这个故事后来才被加进了爱情的成分，才有了一个七仙女。谁干的，大家知道吗？曹植——曹操的儿子，他写了一首乐府，叫《灵芝篇》："董永遭家贫，父老财无遗。举假以供养，佣作致甘肥。责家填门至，不知何用归。天灵感至德，神女为秉机。"就是说，董永小时候穷得不得了，长辈也没给他留下遗产，他经常借钱供养自己的父亲，还常去为别人打工，去换点好吃的来伺候自己的父亲，结果满门都是来讨债的人。因为欠了很多债，而董永不知道怎么来还，在这样的情况下，老天被董永至高无上的道德给感动了，天上就来个神女，为他织布。这个故事后来到了晋朝、唐朝越拉越长。唐朝以后的故事，董永和七仙女还有个儿子叫董仲，这个儿子长大以后还要找自己的仙女妈妈，所以这个故事越来越丰满，越来越丰富。这里面寄托着我们这个民族的传统文化对于孝的至高无上的评价。因为传统中国都相信孝子必有好报，所以大家觉得董永卖身葬父以后怎么没故事了，董永就这么把自己给卖了，不公平啊。不公平怎么办呢？就要给他找个太太，这个太太要美丽、贤

曹植

（192-232），字子建，沛国谯（今安徽省亳州市）人，后世将曹植与其父曹操、其兄曹丕合称"三曹"。曹植自幼颖慧，长大更是出言为论，落笔成文，深得曹操的宠爱。曾作著名"七步诗"："煮豆持作羹，漉菽以为汁。萁在釜下燃，豆在釜中泣。本自同根生，相煎何太急？"取譬之妙，用语之巧，在刹那间脱口而出，令人叹为观止。而"本是同根生，相煎何太急"两句，千百年来已成为人们劝诫兄弟阋墙、自相残杀的普遍用语。

惠、能干，于是找了个仙女，找了个没有任何缺点的太太，于是大家把一些美好的意愿、美好的心愿全部填充到这个故事里去，七仙女的故事是由孝到爱，有这样的演变过程。这样我们才能更好地理解我们传统文化当中对孝的定位。

> 现在时代不同了，《弟子规》里针对父母亡故后，子女应该遵守的规矩和礼仪，并不完全适用于当今社会，所以我们学习《弟子规》并不是要效法古人的行为，而是古人的孝心。那么关于"丧尽礼，祭尽诚；事死者，如事生"还有什么感人的故事呢？

这个故事也很感人，叫闻雷泣墓，出自《晋书·孝友列传》。魏晋时候，有一个叫王伟元（名裒，字伟元）的人，博学多能，他的父亲王仪为人正直，敢于直言，结果被司马昭杀了。王伟元认为自己的父亲是含冤而死的，所以就到父亲的墓旁边隐居起来，终身不向西坐，因为那时候晋朝的首都在他西面。王伟元的母亲在世的时候怕雷，只要一听到打雷就害怕，死后埋葬在林子里。每当风雨交加，雷声轰鸣的时候，王伟元就会跑到母亲的坟前，跪在那里，他跟母亲讲：儿子在这里，妈妈不要害怕。

《诗经·蓼（lù）莪（é）》

《蓼莪》是《诗经·小雅》中的一篇，为悼念父母的祭歌。蓼：长又大的样子。莪：一种草，即莪蒿。李时珍在《本草纲目》曾提到："莪抱根丛生，俗谓之抱娘蒿。"文中所引是讲述父母生养子女的不易。

这就叫闻雷泣墓。这个王伟元很有学问，他以教书为生，只要念到《诗经·蓼莪》里"哀哀父母，生我劬劳"这一句，就泪流满面，这句话的意思就是我想到我的父母，生我养我是如此辛劳。

孝在中国古代是子女善待父母长辈的伦理道德行为，孝的观念产生得非常早，甲骨文里就有孝字。古代的孝字是象形字，孝是一个老人家，手搭着孩子的头在走路，子在下面，老人手扶着孩子，靠着孩子在走路，这就是孝。孝的基本道理是奉养双亲，然后引申出来尊敬长辈。孝的内核是一种人与人之间的亲情，是处理家庭中长辈和儿女之间关系的最基本的伦理道德准则。所以《礼记》里讲：夫孝者，天下之大经也。孝是一切德行的起点，是一切德行的大经大本，是放之四海而皆准的社会人伦基本法则。儒家认为，仁的基础是孝，一切德行的根本是孝，儒家治理国家，维持社会的存在都是以道德教化为基础，道德教化又以孝行为根本。所以传统中国认为，天下没有不是孝子的忠臣，自古忠臣出孝子，这是传统文化对于孝的一种最通行的阐说和定义。

《弟子规》讲完了小辈和尊长之间的这种关系，小辈应该守的礼节，小辈应该遵守的规矩以后，接下来讲的是，当孩子要走出家族、走出自己的小家门、出去面向社会的时候，或者走出小家庭进入大家族的时候，应该注意什么礼节？应该掌握什么规矩？请大家继续听下一讲。

明·谢时臣·杜陵诗意图

第六讲 弟之一

兄道①友②：弟道恭；兄弟睦，孝在中。

财物轻，怨何生？言语忍，忿自泯③。

①道：应遵行的道德原则。
②友：友爱亲近。
③泯：灭。指消失化解。

《弟子规》开篇就告诉我们"首孝悌，次谨信"。可见，古人把"弟"和"孝"一并列为传统美德之首，那么"弟"是指什么？讲求"弟道"为什么如此重要？"孝"和"弟"之间又是一种怎样的关系呢？

《弟子规》在开篇总叙部分，就告诉我们"首孝悌，次谨信"。就是说一个人必须首先学会遵守"孝道"和"弟道"。毫无疑问，"孝"在中国传统美德中居首位，可是"弟"为什么也如此重要呢？"孝"和"弟"之间究竟是一种怎样的关系？在中国传统社会，弟道曾经起到了怎样重要的作用？关于如何履行弟道，《弟子规》又做出了哪些具体的要求呢？

这一讲是《弟子规》的第三部分：出则悌。出，小而言之就是指离开自己的房间，中而言之就是离开自己的家庭，大而言之就是离开自己的家族。换句话说，要和别的人去交往，要进行某种社会交往，就叫出。弟原来的意思是指兄弟友爱。

在第三部分开始，《弟子规》讲的是："兄道友，弟道恭；兄弟睦，孝在中。"作为兄长，对弟弟要友爱，而作为弟弟，对兄长要恭敬。兄弟和睦，孝也就体现在其中了。因为我们知道，传统中国的家族意识非常强，往往一个家族的兄弟，举族同居，不分炊，他们共用一个厨房。而且这个兄弟不是指一母所生的兄弟，有的时候是同高祖、同曾祖、同祖的兄弟。我们今天叫叔伯兄弟、堂兄弟，整个家族是住在一起的，一起维持一个大食堂，而不是每家每户有个小食堂开点小灶，这就是美德。如果要分炊，一般人家都认为，你们的家庭不和睦了，每人打小九九。如果要分家，那是天大的事情。周围的人就会觉得你这个家族有点怪，所以在中国古代是聚族而居的，一个家族几百口人住在一起。那么请问，这样大规模的一种家族形态，家族人数如此之多，这个家族怎么管理？我们现在都在讲企业管理，社会管理，大学里面有 MBA 班、EMBA 班，实际上我们应该回头看看，中国传统是怎么管理庞大的家族的，这里边有极大的智慧。

> 讲求弟道，就是中国传统社会，维系无数庞大家族和顺、友爱的极大智慧。而被中国百姓传诵千百年的"孔融让梨"、"赵孝争死"等故事，也正是兄弟友爱、履行弟道的典范。那么在中国传统社会的大家族里，弟道究竟是如何得以体现的，又能够产生怎样巨大的作用呢事

有个叫陈防的人，家里有一百多条狗，大家看到这里很奇怪，你在讲出则悌，讲人与人之间的弟道，怎么还带上狗了？这故事妙就妙在这里。陈防是宋朝人，他们家是一个备受瞩目的大家族，十三代人居住在一起，可能是古代中国一个很高的纪录。他们的祖先陈崇，是一个德高望重的人，他为家族制定了严格的家规，其中最主要的部分是"孝、弟"，他要求家族子孙都得履行，希望子子孙孙恪守不疑，代代相传，只有这样陈氏家族才能够绵延不绝。果然，陈氏家族枝繁叶茂，每代都出贤人，家族上下一片吉祥、安宁、和顺。陈防这个大家族村落的中间有一个大厅，整个家族七百多口人同时在这里吃早饭、午饭、晚饭。每到吃饭的时候，大家就换上比较得体的衣服，扶老携幼来到这个厅堂，相互问长问短、问寒问暖，按照年龄、尊卑、辈分，次第而坐。陈家有个族规，只要有一人没有到场，所有人都不能吃饭，当然陈家的人没有不守时的，因为一个人不来，那么多长辈都不能吃饭。这就是一个家规，七百多人形成的一股家族凝聚力。那么跟狗有什么关系呢？七百多人的大家族，养了一百多条狗。我们都说狗学主人样，什么样的人，养什么样的狗。陈家这一百多条狗非常有意思，性格非常温顺，这些狗不大叫

的。跟路上的野狗完全不一样。更妙的是，根据史料记载，这一百多条狗也是一块儿吃饭的，陈家的食堂外面有一条很长的槽，就像喂马的马食槽，一百多条狗都在那儿吃饭。每到吃饭的时候，这些狗居然也拖家带口地来，狗爷爷带着狗爸爸，狗爸爸带着狗孙子，排着队找到自己这一段槽。吃完东西以后，它们也非常有规矩，辈分高的狗先走，辈分小的狗就在那儿玩儿。而每次吃饭前。有几条很威严的老狗蹲在槽口，清点狗数。有一次几条老狗发现缺一条狗，所有的狗就趴在槽边不吃饭等着这条狗。为什么这条狗没来？原来它在家里洗澡，洗澡不是耽误时间了吗？这条狗赶紧跑过来，居然还非常抱歉地跟大家摇尾巴，低头跟别的狗打招呼。可见，这个家族居然以家族的友爱影响到了家族所豢养的狗，这个故事就叫陈防百犬，成为传统中国家族友爱，履行孝道、弟道的一个典范，名垂千古。

> "弟道"对于维系传统社会家族和睦，起到了巨大的作用，因此和"孝道"一并被古人列为传统美德之首。可是在现代社会，像中国古代那样庞大的家族已经很少了，现在的年轻人大都是独生子女，没有兄弟，那这是不是就意味着"弟道"这种传统美德，已经失去它的价值了呢？现代人又应该如何理解"弟道"呢？

当今的社会形态已经改变，中国除了一些非常特殊的区域，比如客家文化区域还保存着一些大家族聚居的情况外，其他的都是小家庭居多，特别是国家实行独生子女政策以后，没有兄弟姐妹的孩子越来越多，弟道也就越来越难以被今天的孩子们所理解，但是这绝对不等于说弟道在现代社会当中没有意义，彻底失去了价值。请大家不要忘记古人的一句话：四海之内皆兄弟也。这不就是弟道吗？弟道正是我们讲的泛爱众的基础。泛爱众是什么？博爱，我们千万不要以为博爱完全是西方的东西。最早有这样一个概念出现，也是在我们中华传统文化当中，只不过叫泛爱众。泛爱众，弟道，说到底就是一种博爱。一种守望相助的同胞之情。一种和平喜乐的地球人情结。把这样的精神融合起来，我们这个社会怎么可能不和谐？

还有一点需要特别强调，我们也许认为弟道就是指兄弟友爱。兄弟之间才讲弟道，这个观点也是不妥当的。实际上兄弟姐妹之间乃至姻娅之间。也是要讲弟道的。唐朝有一个非常重要的政治家、军事家叫李绩，他本名叫徐懋功，在唐朝乃至中国历史上，是一位富有传奇色彩的人物，他出将入相，位至三公。享尽人间荣华，而且经历了唐高祖、唐太宗、唐高宗三朝，身为三朝元老，他深得朝廷的信任和重用，被朝廷誉为"长城"。

后来，我们中国的历史学家、学者一直在研究李绩这个人为什么会那么成功？他这一辈子为什么走得那么好？总结后，除了大家知道的他的军事才能、政治才能之外，还有几点更为重要。

他跟朋友、兄弟之间非常讲弟道，在瓦岗寨的时候，他曾经跟鼎鼎

> **徐懋 (mào) 功**
>
> （594－669）徐世绩 (jì)，字懋功（亦作茂公）。唐初大将，曹州离狐（今山东菏泽）人。隋末年仅十七岁的徐懋功跟随翟让起义，因功封东海郡公。瓦岗军起义失败后归顺李唐政权，任右武侯大将军，封曹国公。赐姓李，因为避唐太宗李世民的讳，取单名"绩"。徐懋功为唐王朝立下汗马功劳，成为凌烟阁二十四功臣之一。在《隋唐演义》和《说唐》中徐懋功更是被演化成"半仙"之类的人物徐茂公。

大名的单雄信结拜为兄弟。武德四年（621），洛阳被唐朝打下来了，单雄信被俘。这个时候，李绩就去跟秦王李世民说：单雄信是好人，非常骁勇，我愿意拿我的官职来赎他的命，但是李世民没有同意。李绩说：那好，我不跟你说了。于是流着泪告退。这个时候，单雄信还在责怪李绩：我早就知道你不办实事，就嘴上说说，什么兄弟义气，你根本就没有拼命救我。李绩只好说："吾不惜余生，与兄俱死；但既以此身许国，事无两遂，且吾死之后，谁复视兄之妻子乎？"（《资治通鉴·唐纪五·高祖神尧大圣光孝皇帝中之中》）意思是说，我不惜余生愿意跟兄长你一起去死，但由于两个原因我没有办法去死：第一，我身已许国，我已经答应秦王，要跟他打天下，我不能死；第二，如果我死了，兄长的妻子、儿女谁来照顾啊？说完李绩拿出刀，割了自己大腿上的一块肉，交给单雄信："使此肉随兄为土，庶几不负昔誓也！"这块肉陪着兄长埋到土里，这样我就没有辜负当年我的誓言。这就是李绩。

到了晚年，李绩已经贵为宰相，有一次他的姐姐生病了，李绩以宰相之尊亲自为姐姐熬粥。当他的老姐姐看到贵为宰相的弟弟每天为自己煮粥，而且有的时候因为他胡子长，还差点把胡子给烧了，姐姐就跟他说，"仆妾幸多，何自苦如是！"（《资治通鉴·唐纪十七·高宗天皇大圣大弘孝皇帝中之上》）意思是家里有的是男仆女佣，你何必要这样累着自己呢？李绩回答："非为无人使令也。顾姊老，绩亦老，虽欲久为姊煮粥，其可得乎？"意思是：不是因为家里没有人，而是因为姐姐你老了，弟弟我也老了，就算我想经常为姐姐煮碗粥，可还能煮多少次呢？这件事情本来是件小事，但是《资治通鉴》却把它原原本本地记录了下来。这说明在中国古代，弟道是很重要的。有的时候跟一个人的丰功伟绩是相提并论的，所以《资治通鉴》里边就记载了这样一个故事。

"兄弟睦，孝在中。"在当代社会，很多老人家有退休金，有医疗保险，本来完全可以安度晚年了，但为什么好多老人家晚年的情况不太好呢？很大一部分原因是因为看见子女不和，兄弟之间不讲弟道，不友爱，家庭里闹矛盾，老人家觉得心不安，对自己的子孙后辈不放心。所以《弟子规》讲："兄弟睦，孝在中。"兄弟和睦了，就是孝了。换句话说，孝和弟，是一回事，不是两回事。对于长辈孝，对平辈和友人要弟。

> "弟道"实际上就是"孝道"的延续，因此古人往往把"孝""弟"并称，作为评价一个人最重要的标准，并视之为做人的根本。那么，一个人怎样才算是真正做到了"弟"呢？接下来，《弟子规》会告诉我们哪些履行"弟道"的具体要求呢？

从我们的生活经验来看，如果兄弟朋友之间不友爱，发生矛盾有争端，原因往往是两个：一个是钱财，一个是言语。这两个是惹事的。为了一些钱财，为了一两句话往往会导致不和。所以《弟子规》说得非常明白："财物轻，怨何生？言语忍，忿自泯。"如果大家都把财物看得轻一点，哪里还会有怨恨呢？如果大家在言语上相互忍让一点，心里的不满也就自然而然会随着时间的推移逐渐消除。

我们经常听到人们说，熙熙攘攘，皆为利往。这样的话肯定是绝对化，但是在经济日益成为大家重要关注点的今天，由于财物方面的问题引起兄弟不和的例子恐怕实在是太多了。而中国传统是非常注意兄弟之间的财物分配的，认为兄弟之间谦让是应该的，但是如何谦让得更妙，汉县有讲究的。

汉朝的时候，有一个人叫许武，父亲早亡，只剩下他们兄弟仨。许武是哥哥，对弟弟特别好，平时种地的时候，哥哥不舍得让两个弟弟干农活，因为他们岁数还小，就让他们在旁边看着，多少学一点种地的本事。到了晚上，哥哥许武种了一天的地已经累得不行了，但是依然坚持亲自教两个弟弟读书。如果弟弟调皮不听话，许武也舍不得责备弟弟，更不会责打弟弟，而是跑到父亲的坟前长跪不起，号啕大哭，以此来感动两个年幼的弟弟。

汉朝的时候国家选举人才是靠举孝廉的，因为汉朝还没有科举制度，人才是靠大家推荐的，所以，大家就举了许武的孝廉。这个时候，许武干了一件让大家意想不到的事情，他把爸爸留给他的财产分成三份。自个儿拿了最好的一份，把最差的东西分给了两个弟弟。这哪里是弟道？简直是偷盗啊！老百姓也是这么认为：你是伪君子，你做给我们看原来就是为了当官，为了骗取声誉。一旦你举了孝廉，有了当官的机会，就原形毕露。许武就一直被别人这么骂，但是不知不觉之间，他的两个弟弟的声望逐渐起来了，大家突然发现徐家这两个弟弟拿了最烂的东西也没跟哥哥闹翻，而且还很感激哥哥在他们小的时候种地养活他们，还每天晚上不辞劳累地教他们读书。大家更觉得他们看错了许武，看样子还是两个弟弟好啊。于是，大家一致推举两个弟弟举了孝廉，认为他们才是好人。这一天，许武跑到父亲的坟前号啕大哭，哭完之后他把家族所有的亲戚包括邻里百姓召集到一起，把自己原来最好的这份财产分给两个弟弟，自己什么都不要。许武认为这才是真正的弟道，在汉朝的社会氛围里，你给一个人财产还不如给他一个良好的声誉，因为这样才能够让他尽快地拥有为社会服务的机会，能够被举孝廉。这是在中国古代关于弟道的故事里最传奇的一个。

> 讲求"弟道","谦让"二字最为关键。兄弟之间一旦能够做到相互礼让,"财物轻"也自然不是什么难事。那么,在处理财物的问题上,兄弟间除了相互谦让,还应该注意些什么呢?

中国传统当中强调兄弟之Ｉ司要共同享有财物,不得计较,不要说你多吃了,我多占了。元朝有个人叫张闰,他们张家八代人不分炊,都在一块儿吃饭。整个大家族一百多口人,但是没有什么闲话。白天,男子该种地的种地,女子就在家里一块儿做女红。男人出去打的猎、砍的柴,女眷做的刺绣、鞋袜,全部统一放到一个仓库里,每个小家庭没有一点点私自收藏的东西。甚至如果有个小孩哭了、饿了,这个家族马上就会有一位哺乳期的妇女把这个孩子抱过来喂奶。慢慢的,这个家里的小孩子就分不清他们的妈妈是谁。因为只要一哭,就有一个妈妈抱过去喂奶了;再哭,又一个妈妈抱过去了。这是一种什么样的兄弟、妯娌、姑嫂之间的感情啊!

在古人看来,兄弟之间最要紧的是要共有财物,分配的时候要公正,特别是主事的当家人要公平,绝对不能偏私。明朝有一位非常著名的人物叫郑濂,他家里也是七代同住,大门上挂着一块匾,叫"天下第一家"。这五个字怎么来的?原来郑濂是一个当官的,明太祖朱元璋听说有这么一个家庭七代同堂,一千多口人却从来不吵架,而且大家开心得不得了。朱元璋有点想不通,于是就把郑濂召来:你家里究竟有多少人啊?郑濂说:启禀皇上,一千多口。皇帝就问:一千多口?你有什么治家的法则可以保证大家和睦相处啊?郑濂回答:皇上,也没有什么,就是不听闲话,不传闲话。言语不合就忍一忍。皇上一听:很好很好,来,领赏。朱元璋要赏东西给郑濂。赏什么呢？这朱元璋够小气的，就给俩梨。郑濂家里一千多口人，弄俩梨，也没办法，谁也不敢说皇帝赏得少，只好千恩万谢揣着俩梨就回去了。

> 两只梨虽然少，但却是皇帝的赏赐，理应让全家每个人都享受到。但是，郑濂怎样才能把这两只梨分给全家一千多口人呢？

郑濂回到家里，举着两只梨：今儿皇帝赏了我俩梨，大家看清楚了。说完郑濂叫人搬了一口大水缸，打来一缸水，把梨捣碎了泡在缸里，一千多口人每人喝一碗梨汤。朱元璋派去的校尉看到了这一幕。回去禀告给朱元璋：佩服佩服，这个家长绝对没有私心。朱元璋一高兴，就封这一家为"天下第一家"。在这个故事里，除了分梨分得很均匀，还提到了在兄弟之间别传闲话，别传二姑娘怎么说，三弟弟怎么说。

这就是"言语忍，忿自泯"。这里边最重要的一个字就是忍。唐朝时有一个人也很有名，叫张公艺，他家九代人同居，也很和睦，从来不吵架。唐高宗就想不明白，于是把张公艺给叫来：你家九代人，都说你们家很和睦，你有什么秘诀啊？这张公艺可真绝，一般皇帝问你，那你肯定就回答，我们家努力做到以下三条：第一，第二，第三。但张公艺没有，他一句话不说，请皇上赐笔墨和纸，然后低着头在那儿写，就是不抬头。皇帝一看这什么意思，你有那么多的经验要教给我啊？张公艺写完呈上去，皇帝一看，满纸就一个字："忍"。我们知道。"忍"这个功夫实际上很难做到，但是对家族来讲，尤其对兄弟、血亲或者邻里、社会上结识的同事朋友来讲，忍是非常重要的，而且忍基本上没有什么道理可讲。忍是一个修身的功夫，你就是要修身，修得住。现在很多人不知道这个功夫，我们现在好像不大讲，但是有的地方讲。比如大家到路上看到好多人手上戴佛珠，有的人戴的佛珠很粗，有的人戴的佛珠跟小米粒一样小，缠一串戴着。有些僧人他为什么给你小的？因为他认为你脾气暴躁、火气大，就故意给你那么小的佛珠，你一粒一粒去数吧。你天天数天天数，性子就被磨慢了。所以，传统文化当中都是有讲究的，只不过我们现在不懂了。

"出则悌"这个部分，当然讲的是出，就是离开自己的小家庭，离开自己的家族，离开自己从小生活和熟悉的环境。那么，出去以后还有哪些礼节你要注意呢？有哪些规矩你要恪守呢？请大家听下一讲。

明·马琬·暮云诗意图

第七讲　弟之二

或饮食，或坐走；长者先，幼者后。

长呼人，即代叫；人不在，己即到。

称尊长，勿呼名；对尊长，勿见能①。

路遇长，疾趋②揖；长无言，退恭立。

骑下马，乘下车；过犹待，百步余。

长者立，幼勿坐；长者坐，命乃坐。

尊长前，声要低；低不闻，却非宜。

进必趋，退必迟；问起对，视勿移。

事诸父，如事父；事诸兄，如事兄。

①见（xiàn）能：逞能，炫耀。见，同"现"。
②疾趋：快步向前。

　　作为中国古代教育的启蒙读物，《弟子规》要求孩子和长辈在一起的时候，遵守哪些规范？注意哪些礼节？随着时代的变迁，《弟子规》中的一些具体要求在当今社会已经不再适用。那么，现在的孩子和尊长交注的时候，又应该遵守哪些礼节呢？

《弟子规》在"出则悌"的部分，通过描述孩子和尊长相处时的各种情境，对孩子的行为做出具体规范。那么，古代孩子和长辈在一起时都必须遵守哪些规范，注意哪些礼节呢？《弟子规》通过"出则悌"这个部分，希望能够培养孩子怎样的观念？随着时代的变迁，《弟子规》中的一些具体的要求，在现代社会已经不再适用。那么。我们将如何从现代人的角度，来解读《弟子规》"出则悌"的具体要求？

"出则悌"这部分主要讲的是"出"，就是离开自己的小家庭，离开自己的家族，离开自己从小生活和熟悉的环境。那么，出去以后还有哪些礼节你要注意？有哪些规矩你要恪守？《弟子规》非常明确地做了交代："或饮食，或坐走；长者先，幼者后。"意思很清楚，喝东西、吃东西的时候，或者落座和走路的时候，都应该长者在先，幼者在后，而这样的长幼有序的情况，传统是非常讲究的。只要孩子已经到了入学年龄，自己懂得照顾自己了，就要长者走在前面，小辈走在后面。而且还有一个规矩，一般小辈不能踩长辈的背影，你不能走在长辈的影子里。天很热，也没树，我躲在我爷爷的阴凉底下，这在中国传统是不行的，一看就没规矩。当然现代社会这个情况变了，所以《弟子规》有些东西我们还是要改一改。像"长者先，幼者后"，今天不行，比如自动转门，你让老人家先走进去他会晕在里头，所以在这种情况下，应该幼者在前，替长辈把转门挡住。还有自动扶梯，我们现在发现，很多小辈在后面，长辈在前面，这是绝对不可以的。这种场合应该是小辈在前，挡着长辈，然后侧身，长辈这样往下走，小辈要稍微照顾一下长辈，防着长辈最后一步绊倒。所以《弟子规》主要是一种精神，有些东西我们今天是要改的。

"长呼人，即代叫；人不在，己即到。"长者如果要找人的话，小辈应该代他去叫。为什么呢？因为这里的"叫"有两层意思：第一个"叫"，对于中国古代传统来讲，认为大声说话是很辛苦的事，伤神，所以不能让长辈高声叫。大家看电视连续剧里，都是太监说退朝，没有皇帝说退朝。没有皇帝站起来说下班，为什么？这都是规矩，旁边人代叫，旁边人代说。第二个"叫"是找，不一定要叫，尊长要去找谁，小辈应该代劳。多走几步，别让长辈劳动。现在很多晚辈，爷爷奶奶叫人，我不管，你自己找吧。如果找的人不在呢？我帮你已经算很好，已经算对爷爷奶奶很孝顺，我去找一个人，一找那个人不在，就算了，不行，古人的规定，你自己要马上回来。为什么？第一，复命。告诉老人家，您要找的人不在。第二，问问老人家，还有什么事情我可以做的吗？这都是非常细节的东西。但是，实际上我们在现实生活中看到，这样的一种习惯，已经有很多孩子不知道了，这些规矩已经不懂了。

《弟子规》在"出则悌"的部分，首先要求孩子从小培养长幼有序的观念和照料长辈的意识。接下来，《弟子规》则通过描述在日常生活中，孩子和尊长相处时的各种情境，对孩子的行为提出了具体的要求。首先，当孩子遇见尊长的时候，应该怎样称呼才是合乎礼节的呢？

"称尊长，勿呼名；对尊长，勿见能。"对年龄、辈分都比自己高的人，对地位比自己高的人，对成就比自己高的人，你不能直呼其名。

比如，今天我们看到一位年高德劭、白发苍苍的老人家，你上去就直接叫人家的名字，人家肯定觉得你这个小辈粗鲁，没有教养。如果一个学生直接叫老师的名字，你会觉得这个学生懂礼貌吗？这样的习惯，或者我们今天认同的文明礼貌标准，实际上正是传统文化在当代的延续。因为我们民族一直有避讳心理，你不能叫的，那么怎么办？

对尊长依然是绝对不能直呼其名，可以有很多变通的办法，一般多是加辈分尊称，比如我们称姓李的为李爷爷、李叔叔、李伯伯，这都是可以的。还有一些称职务，比如李校长、李院长、李部长，这也是一种尊称。还有一种称职称，比如像李研究员、李教授。这都可以的，尽量要回避直呼其名。这个习惯现在很多年轻的孩子没有，这时候家长要提醒孩子，不要直呼尊长的名字。比如，有的孩子很聪明，刚刚知道爷爷的名字觉得很好玩儿，到处说昨天谁谁谁带我买糖去了，他把爷爷的名字挂前面了。作为家长你就要告诉他，爷爷的名字你不要叫。这种规矩实际上是我们传统文化的一个特色，而且我们的民族文化心理已经形成，不要轻易去改变它。

《弟子规》还讲到，"对尊长，勿见能"。对长辈和尊长你不要去显示自己的能耐，这一点我们今天更不注意了。我在火车上遇见一个女孩子，大概是大学里读市场营销的，而且是读房地产营销的，她对面坐着一位老人家，一看就是搞设计的，在看一本建筑设计的书。这个女孩子就去跟老人家谈话，就讲自己对房地产理论怎么熟悉，滔滔不绝，一两个小时没有停过嘴。那位老人很和蔼地看着她，也没有说什么，实际上旁观者就会很反感。为什么反感？因为你在长辈面前过度表现自己。很多孩子完全不懂这个，比如与长辈在一起看电视，突然电视里出现一首英文歌，长辈听不懂，这是什么？孩子说，这个你不懂，这是英语，于是给长辈用英语念一遍。实际上这个在传统当中是避讳的，尤其不要在长辈面前过多夸耀，除非你是要为长辈干活，这是两回事。比如，奶奶，我帮你把这桶水扛上去。我年轻，有劲儿，这个是好的。但是，不要在另外一个场合说：奶奶，你看你，那么老，一筐菜都拎不动，我能扛一只猪。这叫显能，是绝对不允许的。

尊重包括两个方面，一个方面是对长辈知识的尊重。因为长辈年岁比较大，人生经历丰富，他的人生智慧值得我们学习，所以过去讲，他们走过的桥比你走过的路还多，吃过的盐比你吃过的饭还多，这个话当然不能绝对来看，但是在传统当中，对长辈的人生阅历和知识，小辈一定要保持一种敬畏之心。第二个方面，要对长辈由于自然规律导致的体力下降。体能下降，健康状况的改变，保存一种感恩之心。因为你得想他为什么会这样？为什么他白发多了？为什么他的腰弯了？为什么他的腿脚不灵便？你不能在任何场合，给长辈带来一种刺激，所以《弟子规》讲，"对尊长，勿见能"。

> 现代社会，很多家长都鼓励孩子展现自我，却很少有人记得告诉孩子，对尊长应该怀有一颗感恩的心和一份谦虚谨慎的态度，而这也正是《弟子规》要提醒我们的。接下来，《弟子规》告诉我们晚辈如果在路上遇见长辈，应该遵守哪些礼节。

《弟子规》讲，"路遇长，疾趋揖；长无言，退恭立。骑下马，乘下车；过犹待，百步余。"按照《弟子规》的要求，一个小辈在路上迎面碰见一个长辈应该怎么做？现在的年轻人恐怕就是"Hello"，跟长辈打招呼。这个不行，小辈先不能说话，要小步疾行，迎向长辈。你不能看见长辈还晃悠晃悠地走：老爷子，你好。这不行，得小步，略弯着腰，比较快地来到长辈面前行礼，显示一种恭敬。

假如长辈没有跟你说话的意思。比如有些老人家比较威严，或者老人家也有自己的心事，那么按照《弟子规》的规矩，你不能上去一把拉住老人家：老爷爷您好您好，咱们俩聊聊，昨天晚上我看了一个动画片，我打了一个游戏。这都不行，而是要退避路旁，恭恭敬敬地站着，垂手而立。要恭候，让开道。因为长辈既然无意跟你说话，你得让长辈往前走，你要退避在路边。假如小辈出门的时候遇见长辈，小辈正好骑着马，或者乘着马车，那么小辈一定要赶紧下来跟长辈打招呼，绝对不能骑在马上跟长辈打招呼，这是非常不礼貌的。你要等长辈先走，你不能扭头就走，必须等长辈过去百余步，你才能重新上马或者上马车。

这些礼节在古代是必需的，但在今天，当然没有办法完全遵照。因为时过境迁，今非昔比，如果你坐公交车、地铁，当然不可能因为你遇见了你的外公，公交车就给你停下来让你打招呼，这个是没有道理的，也是不可能的。如果你自己开车，交通规则也不允许你路上看见一个长辈就靠边停下说爷爷好奶奶好的，因为你会妨碍交通。所以说，你如果完全按照《弟子规》做的话，基本上就是等罚单，没有别的可能了。

然而，这并不是说《弟子规》上的要求完全过时、作废了，那绝对不是。

讲到这里的时候，我想起我读大学时的一件事。那是二十五年前，改革开放刚刚开始不久，当时我们这些北大的学生很少有人听说过《弟子规》。然而，这样的风气依然在大学校园里随处可见。季羡林先生散步是有讲究的，也是非常守礼的。因为散步是很悠闲的，你会影响别人，所以季先生从来不在大路上散步。有一次，我陪着老先生散步，走着走着我突然觉得后脑勺好像有两个眼睛一样，觉得有点怪，回头一看后面排起了一条长龙，全部是推着自行车的人。发生了什么事呢？因为北大有很多学生上课离教室相距很远，所以他们都是骑着自行车从这个教室赶到那个教室的，为了抄近路，他们也绕到了这条平常不走的路上。但是，北大同学都知道前面是季先生，老人家一身布衣，一头银发，背着手在那儿散步。所有的学生都下车，安静地排着队跟着季先生走，绝对没有一个人按铃的。二十多年前的校园里还有这样好的风气，这难道不是符合《弟子规》要求的吗？

> 尽管《弟子规》中关于"路遇长"的一些具体要求，今天看来已经过时，但是，蕴含在其中的尊敬长辈的美德，却早已根植在了中国人的血脉中，深深影响着我们今天的生活。那么，今天如果在路上遇见了尊长，我们应该怎样才能做到既合乎具体情况，又不失礼节呢？

《弟子规》中有些话在今天不再合适，那么，如果我们今天在路上遇见了尊长，应该懂哪些规矩，守哪些礼节呢？我想，根据《弟子规》要求的传统规矩，再结合今天现代社会的特点，我们或许可以这么做。

在路上遇见长辈了，小辈应该快步迎上去，但是别冲过去，不要把老人家给吓着了，所以略微加快脚步迎上去，先请安问好，这是一个规矩。如果尊长有事且不需要你的陪伴，那么小辈应该侧过身去让开正面，让尊长通过。如果尊长有意和小辈谈谈，小辈应该恭敬地陪老人家多说几句。但是今天年轻人都很忙，都有很多工作，如果实在不行，就应该坦诚地向长辈禀明情况：对不起，老人家，我今天正有事，我得先告退了，下次我再来看您。如果小辈在公交车上看到了长辈，那么一般来讲就不必打招呼了。第一，如果你叫一声，会影响了车上的乘客，人家吓一跳，你叫谁呢？第二，老人家也未必听得见，如果听见了，老人家扭头来找，你走了反而弄得老人家心里挺不落忍的。如果你自己开车，看到路边有老人家，在交通规则和路况允许的情况下应该靠边，问问老人家：我能不能为您效劳？您是不是需要搭车？我能不能捎您一段？这是应该的。但是如果老人家就是出来散步的，你也别非把老人家摁在你车里，这也没必要。所以我们讲，除了要把传统的一些礼节、要求在现代社会传承下去之外，还要考虑实际的环境和条件。

《弟子规》讲完了路上遇到长辈应该守的礼节以后，接着又讲了另外的一套礼节："长者立，幼勿坐；长者坐，命乃坐。"

"长者立，幼勿坐"，假如长辈站着，小辈肯定不能先坐。这是明确的。下面一句，"长者坐，命乃坐"，不是长者坐下去了，你小辈就可以坐了，而是长辈坐好了，还得叫你坐，你才能坐。他不打算叫你坐，你小辈也只能站着。

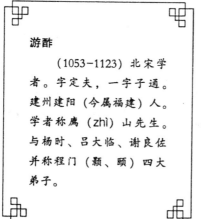

游酢

　　（1053-1123）北宋学者。字定夫，一字子通。建州建阳（今属福建）人。学者称廌（zhì）山先生。与杨时、吕大临、谢良佐并称程门（颢、颐）四大弟子。

不仅如此，还有很多礼节，现在的年轻人知道怎么办吗？

比如，长辈说：小钱，你请坐。我坐下了，但长辈不坐，在房间里踱来踱去。你怎么办？现在很多孩子就这么坐着，长辈在那儿走他不管，这是不可以的。过去，晚辈是要随着长辈的走向调整坐姿的。长辈走过去，我们应该慢慢转过去；长辈走过来，我们应该慢慢转过来，等长辈开口跟你说话。我们不能木头一样坐着，长辈爱怎么走怎么走。这些规矩都是非常细微的，非常讲究的。

关于"长者坐，幼者立"，中国传统当中最有名的故事就是程门

杨时

（1053—1135）北宋学者。字中立。南剑州将乐（今属福建）人。宋神宗熙宁年间进士，与王安石、苏轼约为同时人物。曾任右谏议大夫、工部侍郎，官至龙图阁直学士。晚年隐居龟山，学者称龟山先生。程门四大弟子之一，又与罗从彦、李侗并称为"南剑三先生"。后被东南学者奉为"程式正宗"。

立雪。

宋朝时，有两个年轻的学子，一个叫游酢（zuò），一个叫杨时，他们去拜理学大师程颐为师，哪知道老夫子闭眼在那儿养神，养着养着还睡着了，这两个人一直在那儿毕恭毕敬地站着。程老夫子睡醒时，发现窗外的雪已经积了一尺厚。还有一种说法是为了强调年轻人对老师的异常强烈的守礼精神，说他们在雪地里站着，那么这两个人基本上也变成雪人了，所以叫程门立雪，典故就是这么来的。

> 《弟子规》接下来讲跟长辈交谈时要遵守哪些礼节。我们都知道，同尊长交谈要尽量使用"请"和"您"这样的礼貌用语。那是不是做到这一点就够了呢？和尊长交谈的过程中，还有哪些细节是容易被我们忽略的呢？

"尊长前，声要低；低不闻，却非宜。进必趋，退必迟；问起对，视勿移。"首先，对长辈说话你声音要轻，不能对长辈嚷嚷。我们现在发现很多小辈对长辈几乎都是嚷嚷的：爷爷，你过来。爷爷啪啪啪地跑过去。

奶奶，你过来。奶奶也啪啪啪地跑过去。好了，我自己玩儿，你们可以走了。爷爷奶奶白跑了。这个是不可以的！你对长辈说话声音要轻一点，柔和一点，表示一种敬意。但是如果长辈年纪大了，耳朵听力不太好，你和他们说话的声音太轻也不好。"低不闻。却非宜"，长辈听不见也不行，所以一定要把握一个度，根据你和长辈的交往，知道长辈能够接受多大的音量，你就用多大的音量说话。

"进必趋"，你上前跟长辈说话的时候，应该小碎步，不能踮着脚尖走。"趋"不是简单地向前走的意思，而是微弯着腰、略低着头往前走，这样靠近长辈。"退必迟"，你跟长辈说话的时候要略快，但告辞的时候，动作节奏要略慢，这是两个层面的意思。第一个层面，你不能给长辈有这种感觉：老人家，你真烦，真啰嗦，我来跟你说话是受罪，跟你少待一秒钟都是好的，所以我赶紧走。这种感觉千万不能让长辈有，你也不能这么想。第二个层面，告辞的时候，一般来讲前两步是面对长辈后退，你不能在长辈面前一个向后转，后脑勺往长辈面前一晃，不可以，应该先退两步，再转身退走，所以必须迟缓。"问起对"，长辈如果有所询问、有所指教或要发问的话，你得站起来回答。

"视勿移"，今天注意这一点的人可真是太少了。我们想一下，当我们跟长辈说话的时候有没有东张西望？比如一个长辈问我：小钱，你昨天去干吗了？我左看看，右看看，说我昨天到那儿看了一场球，明天我还去听场音乐会。这个是不可以的！我们的视线必须恭敬地看着长辈，不能眼神飘忽。但是，是不是这样就理解了《弟子规》的"视勿移"呢？是不是那么简单？不是的。

正确的做法是：视线要略低于长辈的视线，不要移动。你的视线不能比长辈的视线高，这是一套非常明确的规矩。

《弟子规》的这些规矩都是在儒家经典的基础上形成的。像上面讲的这么一大段，都是根据《礼记》来的。《礼记》是儒家非常重要的经典，《礼记》里讲："侍坐于君子，君子问更端，则起而对。"这就是讲"问起对"。类似这样的规定，在《礼记》当中很多。

> 在即将结束"出则悌"部分的时候，《弟子规》对这段内容进行了总结，再次强调了这部分内容要告诉孩子的道理。那么，钱文忠教授认为，《弟子规》"出则悌"的部分究竟希望孩子能够从小培养怎样的观念，其中又蕴含了怎样的现实意义呢？

在即将结束"出则悌"部分的时候，《弟子规》补上了十二个字："事诸父，如事父；事诸兄，如事兄。"

中国古代是家族制、宗法制的社会，都是以家族为一个计算单位，不像我们今天的小家庭是以家庭为计算单位的。诸父就是伯父、叔父，有的时候还包括堂伯父、堂叔父。一般来讲，要求对伯父和叔父，也就是父亲的兄弟叫诸父，对他们要像对自己的生身父亲一样尊敬。

诸兄就是伯父、叔父的孩子，自己的堂兄叫诸兄。对他们要像对自己同胞兄长一样，这是过去传统的要求。

现代社会都是小家庭，除了双胞胎之外，基本上是三口之家。在现代家庭中，这样的观念，特别要强调。因为现在有直系血缘关系的亲戚越来越少，孩子成长环境越来越小，你让他从小学会爱的对象，应该尽可能地拓展爱心的范围，就应该从《弟子规》做起，"事诸父，如事父；事诸兄，如事兄。"如果你连对自己的伯父、叔父，对自己的堂哥、堂弟都不能有爱心，不能有非常好的一种交往的话，将来怎么可能到社会上跟别的长辈、跟自己没有血缘关系的尊长，有一个很好的交流呢？你怎么会跟自己完全没有血缘关系的同事，有一个很好的交流呢？还是应该从小做起。从家族范围里做起。

接下来，《弟子规》进入了另外一个新的部分："谨"，谨慎的谨。《弟子规》是怎么来讲述"谨"这个部分的？孩子应该从小养成哪些谨慎的习惯？或者养成"谨"这方面的举止？请大家听下一讲。

第八讲　谨之一

朝起早，夜眠迟；老易至，惜此时。

晨必盥，兼漱口；便溺回，辄净手。

冠必正，纽必结；袜与履①，俱紧切。

置冠服，有定位；勿乱顿②，致污秽。

衣贵洁，不贵华；上循③分④，下称⑤家。

①履（lǚ）：鞋。
②顿：安置。
③循：遵循，符合。
④分（fèn）：身份，等级。
⑤称（chèn）：相称，合适。

衣、食、住、行是我们日常生活的四项基本需求，其中为什么要把穿衣排在首位？中国古代关于穿衣戴帽都有哪些严格要求？如果穿戴不合乎规定，又可能产生怎样的后果呢？

在《弟子规》中，"谨"单独构成了一个非常重要的部分，这部分要求孩子从小养成谨慎小心、规矩低调、有自我尊严的生活习惯。那么，养成这样的生活习惯，对于小孩子来说究竟有什么用呢？对此，《弟子规》提出了哪些具体的要求？这些要求在今天的社会还能否适用？要想培养一个严谨的生活态度，孩子应该从哪些方面做起呢？

"朝起早，夜眠迟；老易至，惜此时。"意思是早晨要早起，晚上要适当地晚睡，年老是非常快的事情，朝华易逝。"惜此时"，你要珍惜此时眼前的一分一秒，你不要想，没事，我今天不珍惜了，明天我加倍找回来。有这种想法，你基本就惜不了时，要"惜此时"。很多现代人的生活是不怎么规律的，一般是该睡的时候不睡，该起的时候不起，这个太普遍了。古人把这种习惯叫做起居不时，你不按照这个规律，不按照最正常的状况安排你的作息，古人认为是很不好的习惯。

假如我们现在碰到有个人，觉得他实在太不争气，实在太让我们失望，我们对他又爱、又恨、又急，那么我们经常会怎么说？你啊，简直是朽木不可雕也。它的出典是《论语·公冶长》，是说宰予大白天睡觉，在不该睡觉的时候睡觉了，孔子正好要找他。宰予是孔子的学生。别人告诉他：老师，宰予在睡觉。这一下，孔子知道了，情况很严重。孔子生气了，就说了这么一句话，"朽木不可雕也，粪土之墙不可杇也。于予与何诛？"意思是腐烂的木头不堪雕刻，粪土似的墙壁粉刷不得，对于宰予你这样的人，我有什么好责备的？我理都不理你，连说都懒得说你。

孔夫子基本上是温文尔雅的，动怒的情况不多。如果我们去看《论语》，这大概是老夫子比较动肝火的一次，这个话说得很重，要传达的意思无非还是要大家珍惜光阴。本来，宰予是孔子众多弟子当中非常讨孔子喜欢的一个，因为他很会说话，说起来头头是道，娓娓动听。最早，孔夫子认定，宰予一定很有出息，对他寄予厚望。就是因为这一顿在不恰当的时间眯的一小觉，孔夫子一下把宰予彻底看扁了。很多著名的学者和有成就的人都是非常珍惜时间的，他们不舍得浪费一分一秒。虽然这些学者的起居习惯、作息时间各不相同，但是他们都抓紧时间，不浪费一分一秒。"朝起早"最好的例证还是季羡林先生。老先生每天早晨四点半起床，几十年如一日。所以北大校园里有一句话，闻"季"起舞。鸡还没起呢，季先生已经起来忙半天了，鸡一看那个窗户里灯亮了，就喔喔叫两嗓子。很多人一直不明白，说季先生，您过去遭受过那么多挫折，有十几年还不让您工作，您又担任了一百多个学会的会长，经常要开会，您怎么能写出那么多东西啊？季先生只不过哈哈一笑，说当你们起来用早餐的时候，我已经工作了三个小时了。《季羡林文集》长达二十多卷，他的大量论文和文章就是这三个小时写出来的。每个人拥有的时间都是一样的，但能够用来工作的时间却不一样，所以，第一，在于你会不会利用时间；第二，你会不会挤出时间。珍惜光阴，就会使我们的生命延长。实际上，使我们拥有更多的有效的学习时间和工作时间，这一点是非常重要的。

接下来《弟子规》要求孩子们爱护生命，养成良好的卫生习惯。"晨必盥，兼漱口；便溺回，辄净手。"早晨起来，要洗脸，还要漱口；上洗手间后，你总归要洗洗手的。

古人为什么说"兼漱口"，为什么不刷牙呢？因为古人没有牙刷，没有像我们一样每天刷牙的习惯。从历史上看。中国人刷牙的习惯还是受了印度的影响，随着佛教传进来的习惯。刷牙最早是用齿木，一种比较软的木片。有几种说法，一种说法是把这个木头放在嘴里像嚼口香糖一样，达到刷牙的目的；还有一种说法是拿这个木片，用嘴先咬一咬，咬软了以后再刮牙齿。但是古人也有比我们讲究的习惯，用齿木还得刮舌苔。这一点我们是到这几年才认识到的。

> 穿衣戴帽是我们日常生活中最平常的小事，人人都会。可是，《弟子规》为什么要用大段的篇幅教孩子如何穿衣服呢？在中国古代穿戴整齐的标准又是什么呢？

《弟子规》讲，"冠必正，纽必结；袜与履，俱紧切。"帽子要戴正。纽扣得扣上，袜子和鞋子都要合脚，该系带的要系上，古人的袜子也是要系的，古人的鞋有很多也要系。

这四点要求从今天的年轻人身上很难看到。因为今天的时尚跟《弟子规》不太一样，今天的年轻人很多都是戴帽子的，帽子有各种各样戴法，但是很少看见戴正的，基本上是歪戴的；衣服上钉满了无数闪闪发亮的扣子，但不是拿来扣衣服的，基本上是看的，前面反而是咧开的；袜子耷拉着，鞋子趿拉着，反正都比较大。有人穿袜子时一只脚一个颜

齿木

"齿木"又名"杨枝"。它是原始佛教时期，出家人用以刷牙和刮舌的木片。它也是大乘比丘们应该随身携带的"十八物"之一。《五分律》卷二十六中记载："有诸比丘不嚼杨枝，口臭食不消。有诸比丘与上座共语，恶其口臭，诸比丘以是白佛。佛言，应嚼杨枝。嚼杨枝有五功德，消德、除冷热涎唾、善能别味、口不臭、眼明。"

色，我还看到过两只鞋的颜色也不一样，所以这个也是很奇怪的。这样一种时髦的风尚，古人不能理解，你如果把我们的老祖宗从地下请出来，你请十个出来，能够给吓晕十一个。怎么这样呢？因为十个里边难保有一个胆儿比较大的，吓回去再回来看一次，还得吓晕了。

> 《弟子规》中"冠必正，纽必结"的要求，被中国古人视为衣冠整齐的基本标准，恪守不移，甚至有些人不惜为此牺牲生命。那么，究竟什么人，在怎样的情况下，会为穿衣戴帽这样的小事而丧命呢？

《论语》中提到子路的地方有四十七处，他是孔门弟子当中非常重要的一个人。中国传统中流传着很多和子路有关的故事，比如百里负米，子路想孝敬自己的妈妈，但又没什么钱，他听说一百里以外的一个地方米比较便宜，于是跑了一百里路给妈妈背了一袋米回来了，这个故事被视为孝敬父母的典型。还有一个故事叫闻过则喜，通常情况下，我们听到别人批评一般都不高兴，但子路只要听到有人批评自己，马上就会改正。只要真的是错，闻过则喜。

他还是一个非常勇武的人。子路从小就"性鄙，好勇戾，冠雄鸡"，他的打扮也跟孔门弟子不太一样，他头上戴着鸡冠帽，佩着剑，很英武，很忠诚。在孔门弟子当中他是一个有特殊地位的人，因为他不仅是孔子的学生，而且还是孔夫子的车夫兼保镖。孔夫子经常会被人骂，但自从有了子路这个学生以后，骂他的人就少了很多。孔夫子对子路也很信任，说如果有一天我走投无路了，大概只有一个人会跟着我，那个人就是子路。

子路是一个性格非常特殊的人，虽然他对老师非常忠诚，但是有时候他也批评老师。"子见南子"就是一个非常有名的例子。有一次，孔夫子想拜见卫灵公的夫人南子，想利用这位夫人的关系接近国君，把治国的道理教给国君。但是卫灵公的夫人在当时名声不好。孔夫子犹豫了半天之后还是决定去见南子。子路知道后，非常生气，说：老师，你怎么能去见这么一个女人啊？逼得孔夫子朝天赌咒。孔夫子百般无奈只好对学生说：我是为了给国君讲治国的道理，才去接近南子的，如果不是的话，老天罚我。

子路就是这样一个非常可爱又有才华的人，可惜最后死在了帽子上。卫国发生内乱，子路看不过去要骂这些乱臣贼子，结果有一个人一下把子路的帽子给打歪了。一般人帽子被打歪了，已经很危险了，肯定跟你拼命啊。谁知道，子路说："君子死而冠不免。"说我可以死，但是我帽子不能打掉啊，所以他就把帽子给系好，这么一弄，就被乱臣贼子砍成肉酱了。子路死就是因为帽子，所以"冠必正"对古人来讲是很要紧的。

晋文公是中国古代一个很有名的国君，有一次打仗的时候，突然发现自己的鞋带松了，不贴脚了，他居然把手上的武器放下来，先把鞋带给系好。幸好他是一代国君，旁边有很多护卫，如果像子路一样，恐怕也会被砍成肉酱了。所以古人对这些着装的要求非常明确。你尊崇这样的要求。养成这样的习惯，在中国传统当中都是给予赞美的。

如果不讲究这些会怎么样？

> 中国古人，对于衣冠整齐的重视，在现代人看来似乎无法理解。那么，古人为什么会把衣着是否整齐看得如此重要？一个人如果没有良好的着装习惯，又会怎样呢？

如果你从小不养成一个比较好的着装习惯，那么步入社会、参加工作以后，无论是你的上级，你的师长，或者你的同事，都不会对你有好印象。现在课堂里经常可以看到，有些孩子穿得很暴露，浓妆艳抹，帽子戴得不像帽子的样子，鞋子穿得不像鞋子的样子，衣服该扣的不扣上，这种情况都不会给别人留下好印象。

比如，一个年轻小伙子的衬衣，当然不必像《弟子规》要求说的有纽必结，但是，如果你看到一个人的衬衣两三个扣子不扣，你会作何感想？轻的说这个人不修边幅，重的说这个人流里流气。相反，如果你按照《弟子规》的要求去做，衣服穿得很得体，扣子该扣的都扣好，鞋子该系鞋带的都系好，那么，在课堂里，你就会给老师留下一个比较好的印象；去找工作的时候，也会给面试官留下一个很好的印象；跟大家交往，大家都觉得你是一个比较负责任的人。这个是从小养成的习惯，当一个人成长起来以后，这个习惯就会给你带来很多好处。

《弟子规》不仅对孩子怎么穿衣服做出要求，而且对放衣服也做出了要求。你在家里归置衣服要讲规矩，要放在合适的地方，要有固定的位置，这也是不容忽视的生活习惯。所以《弟子规》接着讲，"置冠服，有定位；勿乱顿，致污秽。"你放你的帽子和服装，应该有一个固定的地方，不要到处乱塞，以免把衣服搞脏了，把环境搞得很乱。

我们现在可以看到很多古装电视剧里有这样的场景：有一个人要出门了，妈妈心疼自己的孩子，或者一个女孩子爱上一个男孩，临行之际，都要托出一个托盘，托盘上面是一套衣服，衣服上面放着一双鞋。但是古人是不会这么干的。怎么会这么放啊？鞋子怎么能放在衣服上面？又不是手套。它一定是另外一个托盘托一双鞋，再一个托盘托一身衣服，或者把衣服搭在鞋上。我们现在已经不能理解古人的这种规矩，古人认为帽子是戴在头上的，鞋是踩在脚下的，是绝对不能把鞋和帽子放在一起的，他们非常讲究这些，物当其份，什么样的东西有什么样的位置。

今天好多孩子是不注意这一点的，因为他们的衣服都是由父母帮着整理，环境好一点的家里还有保姆帮着整理，所以他们从小养成了乱扔衣服的习惯，今天找不着帽子，明天找不到鞋子，这个事情很常见。我因为和学生接触比较多，就发现有的时候这个学生平时衣着搭配都很好。

齐桓公

（？－前643年）春秋时齐国国君。春秋五霸之一。姓姜，名小白，是齐襄公的弟弟。公元前685年至前643年在位。襄公被杀后，从莒（今山东莒县）回国取得政权，任用管仲进行改革，国力强富。齐桓公打着"尊王攘夷"的旗号，帮助燕国打败北戎；营救邢卫两国，制止戎狄进攻中原；联合中原诸侯进攻蔡楚，与楚国会盟于召陵（今河南郾城东北）；并平定东周王室的内乱，多次大会诸侯，订立盟约，成为春秋时第一个霸主。齐桓公丢帽子的事记载于《韩非子·难二》。

规规矩矩的，突然有一天让你觉得很刺眼，比如说夏天穿了一件比较厚的衣服，或者冬天穿了一件比较薄的衣服，我说怎么回事？老师，衣服找不着了。那么在今天，我们房子大了，生活条件好了，衣服也多了，特别是孩子衣服多得不得了，出现这种情况，我们好像觉得都是理所当然的。其实古人认为这不是借口，这是一个生活习惯，从小要养成。

古人如果遇到这种情况，找不到帽子，找不到需要穿戴的衣服。很有可能会发生一件大事。齐桓公有一次喝醉酒了，酒醒以后突然发现帽子没了。可能齐桓公也只有一顶帽子，古代的国君不像我们想的这样，或者他丢掉的是国君那顶冠，他只有一顶。一般我们会怎么办？帽子掉了嘛，我随便戴另外一顶帽子出来见人好了，或者我不戴帽子，包块头巾。齐桓公不是这样，他感到巨大的羞耻，三天不上朝，躲起来了，谁找他都找不着。这个时候，各地的饥荒消息都报上来了，丞相管仲不敢做主，就去找齐桓公。齐桓公因为帽子丢了，谁都不见，觉得很难为情。管仲只好下令，开仓放粮，把粮食自作主张发下去了，老百姓很感谢管仲，认为遇到了一个贤相。后来知道这情况以后，齐国就开始流行一首歌谣：国君啊国君啊，你的帽子何时再丢啊？你丢一次就放一次粮。在正常的情况下，保持衣装的整洁，除非是特殊情况，不要去弄污你的衣服。在古人眼里，这也可以体现出一个人的修养。

在古人眼中，衣帽是否干净，穿戴是否整齐，可以反映出一个人的品德和修养。因此古人往往会通过穿衣戴帽来观察一个人。那么，穿衣服和修养之间，究竟有怎样的关系，通常人们会从衣着的哪些细节，来观察一个人呢？

古人极其重视修身。历史上有这么一个故事，就是从一双鞋子的角度去看修身对人的重要性。在《德育古鉴》里，有一个人叫张瀚，他在都察院任职，都察院好比我们今天的检察院，很重要的机关，他非常能干，是个人才。当时的台长，非常重视他。但是，怕他像有些人那样，虽很有才华，后来却走上了歪路，所以就想敲打敲打他。这个台长，就找了一次张瀚，两人闲谈。他说：哎呀，小张，你真的有才华，非常好。昨天下朝的时候，我碰到一件事情，我走到街上，看见前面有个人抬轿子，我注意到轿夫脚上穿了一双新鞋子，非常干净。从东头走到西头，小心翼翼，都挑干净的地方走。因为他穿的是新鞋子，所以这个轿子抬着非常稳，鞋也没弄脏。当他走到西城，拐弯向南走的时候，一不小心，这个鞋子被旁边飞驰而过的马车带起来的泥水给搞脏了，新鞋子一下子变成脏鞋子了。于是这个轿夫，肆无忌惮，到处乱走，专门找泥坑踩，这个轿子越抬越颠簸，我看坐在里边的人颠得够呛。听到这，张瀚马上就说：台长，我明白了，您是用鞋子来告诉我一个道理，这是修身的要道，一个人千万不能失足，一旦失足，恐怕就会无所不做。这个故事说明古人绝对不会仅仅把鞋是不是贴脚，是不是干净，看做一件不重要的生活小节，他要从中观察你有没有一种意识，有没有一种修养，有没有一种戒慎戒惧。

今天如果有一个人，拜见一位领导或者拜见一位尊长，最注意的是头和脚。而过去注意的是戴没戴帽子，后来大家不戴帽子了，就注意头发是不是整齐。所以有一个词叫"噱头"，这件事有没有噱头啊，这是南方话，但是现在其实普通话里也很流行，就是要讲头要弄好。还有一件事情，注意脚，你的鞋是不是干净，你的鞋有没有破个洞。这叫什么？蹩脚。现在有的时候我们形容一个人做事做得真蹩脚，这个人为人真蹩脚，其实跟脚并没有关系，也许这个人脚很好。但是，有的时候你到一个场合，鞋很脏，到别人家里，或者到别人办公室。鞋子有一个洞也不去补补，别人就认为你这个人修养有问题。你不注意小节，你怎么会做得好大事。当然也有人讲，不拘小节，可以成大事，这是对极特殊的人而言，一般的人从小应该养成注重小节，注重细节的习惯。

> 《弟子规》在要求孩子穿衣戴帽要整齐，放置衣服要有序之后，进一步教孩子如何选择衣服。那么，在中国传统社会，人们在选择衣服的时候，应该遵循怎样的原则？这个原则对于我们现代人，又是否适用呢？

《弟子规》定下的原则是："衣贵洁，不贵华"。就是绝对不赞成衣服要华丽，而是要整洁。

古人对于衣服过于华丽，总的来讲都是反感的。传统认为，就算是贵为帝王，你也应该以《弟子规》这种要求为美德，不要以华丽为贵，要以整洁为贵。崇祯皇帝吊死在煤山，很多人认为这个皇帝值得我们同情。崇祯被同情有好多原因，其中有一个非常重要的是，当有人把他的遗体从树上解下来下葬的时候，大家发现，原来他身上的袍子有补丁。那就说明，这个皇帝还是比较节俭的，不是一个很奢侈的皇帝，他是一个多少让人产生一点同情心的亡国之君。

在历史上。像崇祯这样的例子不是一个，还有唐肃宗。有一天，有一个叫彭泽木的臣子去歌颂这个皇帝，当然如果皇帝比较节俭，臣子一般都会努力地去歌颂，希望皇帝能够朝着这条道走下去，这样对整个国家，对人民来说都有好处。所以这个臣子就说：哎呀！皇帝，你真好，真节俭。歌女跳舞的时候，都没有华丽的衣服和装饰，你真节俭。唐肃宗被臣子夸得很高兴，就把自己龙袍的袖子伸出来，让这个臣子看：是啊是啊，你看，这个龙袍都洗过三次了。对于一个古代帝王来讲，一件衣服洗过三次就算很节俭了，不能拿我们现在的观点来评论。

除了整洁以外，还要和自己的身份相称，即"上循分"，要和自己的家庭情况相称，和自己的身份相称，我们今天是能够理解的。比如，一个年轻学生，还没有踏上社会，还没有工作，你在大学里上课，天天西装笔挺、领带森然，皮鞋擦得锃亮，一般大家会觉得不妥当，因为这和学生的身份不相符。学生干干净净，比较简洁，能够尊重课堂教育的氛围就可以了。又比如有些女孩子，把晚上出席晚会穿的露背礼服穿到办公室去，毫无疑问谁都不会觉得合适。反过来也是这样。比如朋友聚会，大家高高兴兴，很轻松，到钱柜里去K歌，你突然打着一个领结，穿着个燕尾服去了，大家要么认为你是在这里工作的，做服务生有这个要求，总之觉得你很奇怪。而一个人如果穿衣服和自己的身份相吻合，会给大家留下一个比较好的印象。大家会认为你对自己的定位很明确，你非常明白自己的身份，那也意味着你对自己这个身份底下应该做什么，不应该做什么，应该尽哪些责任，都比较清楚，说明你头脑比较清醒。如果你乱穿，穿的跟自己身份不相符，大家要么觉得你这个人心太野，要么觉得你这个人有妄想，要么觉得你脑子不清楚，这都不好。

"下称家"，过去是有等级制度的，比如谁能穿绸缎衣服、丝绸衣服？当了官的，有功名的人才能穿。你是商人，就算是亿万富翁都不许穿的。到了很晚期，中国传统社会乱了才可以穿。比如，一个女孩子，谁可以穿红颜色的鞋子？绣花鞋，现在谁都可以穿，到百货公司买一双，红的，我还一只脚红的一只脚绿的呢。古代妇女一定是自己的丈夫有秀才以上功名，才可以穿；你不穿，别人不会觉得你谦虚，会觉得你很怪。如果一个女人明明知道自己丈夫不是秀才，却穿一双红鞋子，重者要被告官，要究办的，轻者觉得你疯了。过去的女性，谁能够穿红的裙子？也有讲究的，一定要是夫人、太太。但今天我们当然没必要有这种等级观念，只要和自己的家庭情况比较吻合，还是应该纳入我们的考虑当中的。比如如果父母收入比较高，或者父母的情况比较好，那么孩子穿衣服稍微好一点，只要和你的身份相符，那是可以接受的。但是如果经济状况不允许，你却拼命要找贵的、很好看的、很华丽的衣服穿，这毫无疑问是不妥的。我们可以看到社会上现在有好多这样的故事，因为虚荣，没有这个能力，没有这个条件，但是非要这么大方，完全不顾实际情况，要华贵，引发出多少社会问题。所以我们今天还是应该提倡《弟子规》里边"衣贵洁，不贵华"这样一个原则；"上循分，下称家"。我们结合现代社会的一些特点来考虑，把传统当中好的部分继承下来，还是值得我们遵守的。

我们平时讲，衣食住行，《弟子规》前面这个部分讲的是怎么穿衣服，衣服应该怎么穿，应该怎么放。接下来毫无疑问，就要讲到食的部分。在吃饭的时候，有什么讲究？有什么规矩？应该避免什么？这个请大家听下一讲。

明·蒋嵩·渔舟读书图

第九讲　谨之二

对饮食，勿拣择；食适可，勿过则。

年方少，勿饮酒；饮酒醉，最为丑。

　　今天的家长最关心孩子的饮食习惯。在中国古代，这个问题同样也是人们最为关注的问题。那么，古人所说的饮食习惯是指什么？和今天家长关注的是不是一回事？在培养孩子饮食习惯的问题上，父母又应该注意哪些呢？

《弟子规》在讲完了穿衣应该注意的细节后，接着告诉孩子吃饭时应该遵守的规矩。在中国古代，人们非常重视培养孩子良好的饮食习惯。而这也正是今天的家长们最关心的问题。那么，古人所说的饮食习惯是指什么？关于这个问题，《弟子规》中有哪些规定？在培养孩子饮食习惯的问题上，父母又应该注意哪些方面呢？

　　《弟子规》讲："对饮食，勿拣择；食适可，勿过则。"对于喝的、吃的，不要挑三拣四，"食适可"，食够量就可以，"勿过则"，不要过分。这是根据《论语·学而》的君子食无求饱讲的。《论语》里讲的君子食无求饱的字面意思是君子吃够就行了，不要撑着，实际上讲的就是这个道理，要适可，不要过则。《弟子规》接着《论语》往下讲，这就牵涉到我们对传统饮食观的一些认识。

　　我们也许会提出疑问，《论语》里边记载孔子的态度好像不太一样，他对大家说，君子食无求饱，你们够吃就行了，但自己却是"食不厌精，脍不厌细，割不正不食"。孔子怎么自己很讲究啊？《论语·乡党》里讲的"食不厌精，脍不厌细"这一段话讲的是什么呢？

　　孔子讲的是祭祀时候的规矩，你在祭祖先、祭宗庙的时候，应该以这种态度，而不是讲自己平时吃的应该是这样。

　　孔子实际上是那种对饮食不过分讲究的人，《论语·雍也》记载："贤哉，回也。"这个大家都知道，说颜回非常贤良，身居陋巷，有一小箪箪饭，有一瓢水，他都觉得很快乐。从中我们可以看到，孔子不是一个对饮食挑挑拣拣的人。

　　古人非常注意观察一个人的吃相。你吃东西的时候。能够反映出你的修养，反映出你的家教。这个人明明在开会，他却说这个人吃相很不好，南方话里，说这个人吃相很不好，是指这个人没教养，慢慢把吃饭等同于教养，而不局限于吃饭。古人确实是这么认为的。

我给大家讲几个故事。唐代有一个文学家叫郑浣，这个人是进士出身，而且当过大官。他的生活很简朴，特别是对饮食绝对不挑挑拣拣。有一次。他的远房孙子从老家来找他，因为这个孙子是农民，没有见过世面，也不懂礼节，穿的衣服当然也很破。所以郑浣家里有很多人，包括仆人都嘲笑这个远房的孙子，只有郑浣没有。他觉得这个孙子很朴素，来自民间。郑浣问这个远房孙子，说你来找我有什么事？我有什么可以帮你？结果这个孙子就跟他讲，我常年在家乡种地，做老百姓，我想当一名县尉。这样我就可以衣锦还乡，光宗耀祖。郑浣一想，哦，你这个孩子还是蛮有上进心的，不错不错，我可以帮你试试。于是，郑浣就写了一封信，把他介绍给某一个地方的县令，看看能不能给他安排点工作。就在郑浣给他送行的那天晚上，郑浣请他吃饭，说为你送行，明天你要上路了。郑浣就观察这个远房孙子的吃相。那天吃的是蒸饼，郑浣突然发现这个孙子把这个饼的皮给撕了，掏里面的瓤吃。这一下，郑浣非常生气，就在旁边叹息。说：这个饼的皮和里面有什么区别啊？你居然有这样的毛病？如此奢侈浪费？你一点淳朴的习惯都没有，我看你在家乡务农，应该是很质朴的啊。一定懂得种庄稼的辛苦。没想到，你像纨绔子弟一样的浮华。这个远房孙子害怕了，一哆嗦，把手上剩下的那些皮通通给他远房爷爷递过去了。郑浣接过来，把他掏剩下来的皮全吃了。第二天郑浣就打发人把这个远房孙子送回家，认为他不堪重任。郑浣就是通过一个饮食的细节，来观察一个人。

古人认为，一个人对待饮食的态度，能够反映出他的品德和修养。因此在中国古代，人们往往通过饮食的细节来观察一个人。甚至有的皇帝，还会以此为标准，来考察皇位的继承人是否合格。

据说，唐玄宗有一次和太子，即后来的唐肃宗吃饭。这一天御膳房准备了熟肉，有一只熟的羊腿，唐玄宗就叫太子把这只羊腿给切开。太子说，好，遵命，于是就把羊腿给切开，把肉给剔下来。剔完了以后，太子就用饼把手上的羊油给擦掉。这个时候，唐玄宗就在旁边观看，心想你居然这样啊？拿饼擦手啊？心里很愤怒。唐玄宗刚要发怒的时候。却发现太子把这个饼给吃下去了。唐玄宗一下转怒为喜：好孩子，懂得节约。于是就认定他是一个比较好的皇位继承人。

中国人过去非常注重培养孩子良好的饮食习惯，现在培养孩子良好的饮食习惯是要让孩子形成营养结构比较完备的饮食习惯。比如有些孩子老吃快餐，什么肯德基、麦当劳等等，我们觉得不行，你得吃点蔬菜，这是培养他的饮食习惯。比如孩子挑食，有些东西吃，有些东西不吃，我们说你的饮食要均衡。

在中国传统当中，孩子的饮食习惯就是《弟子规》规定的这些。比如不要挑拣，要适可而止，不要过量过分。还有食不语，就是吃饭的时候不要说话。这都是吃饭时的规矩，西方叫餐桌礼仪。但是中国传统有套规矩，比如孩子只能吃尊长放在你面前的菜，只能吃尊长夹到你碟子里的菜，站起来伸出筷子到远处那个碟子里夹菜，这是绝对不允许的，会被认为非常失礼。你也不能向同一碟菜连续伸三次筷子，你夹一筷子，好吃，再夹一筷子，好吃，再夹一筷子，好吃，但如果你的筷子第四次伸出去的话，长辈会用筷子把你的筷子敲掉，提醒你一下。意味着这顿饭你不要吃了，你应该反思一下。

> 在现代人看来，古人的这套餐桌礼仪似乎已经过时。今天的家长，很少有人会要求孩子遵守这些规矩。这是不是就意味着，这些规矩对于现代人已经没用了呢？如果孩子不懂这些规矩又会怎样呢？

不讲究餐桌的礼仪，不形成良好的生活习惯，孩子长大以后或者进入社会跟别人交往的时候，确实很容易给人留下不好的印象。

比如大家在一张桌子上吃饭，在座的有的是尊长，有的是领导，有的是师长，孩子一看到很远有个自己爱吃的菜，一下站起来，把那个菜撩过来放到自己跟前。你想想，如果我们跟这样一个人一起吃饭，你肯定不会觉得他懂礼貌。或者一桌子菜，他就盯着那一个菜吃，别的几个菜其他同事、朋友都在吃，他却连一筷子都不伸，因为他不懂得"勿拣择"的道理啊。那么会给大家留下一个什么印象？大家会觉得你这个人不合群，我们都能吃，怎么你不能吃呢？这就是从小没有养成"勿拣择"的习惯。

现在的餐桌礼仪确实存在很大的问题，很多浪费是非常严重的，在学生餐厅里我们经常可以看到大半个馒头被扔掉，大半盘菜被倒掉。有的孩子买了一盘菜，尝了两口，可能觉得不合口，倒掉了马上再买。这种情况是值得我们重视的，我们不能把它当一件小事来看。如果从小不形成良好的习惯，将来会影响孩子的整体形象。

今天，孩子从小都是宝贝疙瘩，父母只问孩子你喜欢吃什么啊？你想吃点什么啊？爸爸妈妈给你去买，让他们从小生活在这样一种有绝对选择权的环境中。现在的孩子有几个会顾着老人，比如吃的时候有没有想着爷爷奶奶吃了没有，外公外婆吃了没有，爸爸妈妈吃了没有啊？好多家长有的时候有这么一个习惯，这个习惯实际上是不好的。比如，家长不吃，都忙着喂孩子，爷爷摇着拨浪鼓，奶奶举着布娃娃，爸爸端着碗，妈妈拿着勺，孩子吃饱了，大家才松口气，哎哟，天大的事情了了，然后再坐下来吃。这给孩子从小形成一个极不好的习惯，让他没有一个相互谦让的习惯，考虑在同一张餐桌上、同一个屋檐下别的尊长喜欢吃什么，想要吃什么？我是不是应该谦让点？我是不是应该关心一点？这种习惯没有养成。如果从小让孩子跟长辈在一张桌子上吃饭，那孩子会知道：哦，原来我爱吃的东西谁都爱吃啊，不是我一个人爱吃。原来我认为这个东西不好吃，怎么爷爷奶奶、爸爸妈妈也能吃啊！我是不是也尝一尝，我或许也能吃下去啊？如果我们有这样一种习惯，对孩子将来的成长实际上是有好处的。

大家现在唯一不用担心的是《弟子规》里边的"食适可，勿过则"。为什么呢？因为现在许多年龄很小的孩子都在嚷着要减肥，比如我和朋友的孩子在幼儿园里一起吃饭：叔叔，我不吃。我问为什么？我减肥。

《弟子规》讲："年方少，勿饮酒；饮酒醉，最为丑。"这句话的意思是，孩子岁数还小的时候不能饮酒，喝酒醉了以后，那是最大的丑事。

　　为什么《弟子规》会有这样的规定？道理也很简单，因为年纪小的时候，第一，你身体没有发育完备，所以你身体的结构对于酒精的抵抗能力是有限的。第二，自控能力差，除了身体以外，精神方面、意志方面的自控能力都较弱，而且有的时候，甚至是不知道自控的。那么一旦喝醉了，就很有可能做出一些让父母非常难堪，让家里客人非常难堪的事情。年龄稍大一点的孩子，也许还会做一些让自己后悔莫及的事情。尤其像我们现在读中学，特别是读高中的学生，血气方刚，在这个时候如果饮酒的话，会引发一些相当严重的后果。《弟子规》的考虑是非常非常周全的。

　　现在全世界绝大多数国家都有立法规定，不到哪个年龄段的孩子是不能饮酒也不能买酒的。如果你到一个店里去，说我要买酒的话，营业员会根据你的年龄做出判断，如果那么小一个小孩子，说我来两斤酒，那是不能卖给他的。如果你卖酒给未成年人，也是违法的。这样一些规定充分表明，从对孩子们负责的角度讲，全社会都有责任，而这种责任甚至要通过立法来保障。所以《弟子规》的这个规定毫无疑问，在今天依然是有效的。

　　　　无论在古代还是在今天，《弟子规》中"勿饮酒"的规定都同样适用，孩子们都必须遵守。但是，对于成年人来说，是不是就可以随意饮酒呢？成年人喝酒时，应该注意些什么呢？

　　对成年人或者青年人来讲，喝酒应该有一个度。这样的故事在历史上是很多的。

酒池肉林

　　形容穷奢极欲。《史记·殷本纪》："(帝纣)大聚乐戏于沙丘，以酒为池，县(通'悬')肉为林，使男女裸相逐其间，为长夜之饮。"商纣王执政前期，精明强干，发展农桑，开疆扩土，后期却穷奢极欲，酒池肉林就是典型的代表，最后终于葬送了商朝的政权。可见有史以来骄奢淫逸者都难有善终。

　　酒池肉林的故事大家应该都听过的，商代晚期的君主基本上都是一些淫暴好酒之徒，他们喝了酒之后，原来暴躁的脾气越来越厉害。干的坏事也越来越过分。为什么商朝的贵族喝酒特别容易喝出事情来？因为他的酒器是青铜器，青铜里面有铅，而一用青铜器装酒，铅的挥发更厉害。所以现在很多历史学家判断，商朝晚期这些喝酒无量的贵族基本上是铅中毒的。中毒后，他的意识就不会清醒。如果他的意识不会清醒，他对做出来的事情还谈得上负什么责任。

　　以酒误国的事情在中国历史上不胜枚举。楚共王和晋国的军队在鄢陵打了一仗，楚国吃了败仗，楚共王的眼睛中了一箭。为了准备下一次战斗，楚共王费尽心机，调兵遣将，这个时候他准备和一个叫子反的大司马一起商量下一步的安排。结果楚共王左等右等都没等来，原来子反喝酒喝醉了，如同烂泥一般，这就把军国大事给误了。楚共王只能对天长叹：天败我也！

> 成年人如果喝酒不能把握适度的原则，也会产生很严重的后果，轻者失态误事，重者丧命亡国。既然如此，那为什么还有那么多人喜欢喝酒，甚至有时候还会以醉酒为荣呢？

中国有非常独特的酒文化。中国传统中有各种各样的原因和理由可以叫人喝酒，也有各种各样的原因和理由叫人合理、合情地喝醉。

比如《水浒传》里，如果武松没有那十八碗酒壮胆，他怎么能把老虎给打死呢？如果鲁智深不喝酒，他还叫鲁智深吗？比如我们知道鲁迅先生笔下的孔乙己。是一个让人可怜可气可恨又有点可爱的人物。如果孔乙己不喝酒，怎么会有下面这一段非常精彩的话："铁如意，指挥倜傥，一座皆惊呢"、"金叵罗，颠倒淋漓噫，干杯未醉嗬。"就酒这个东西，让孔乙己的形象跃然纸上。

如果你到唐诗宋词里面找饮食方面的东西，找到最多的一定是酒。我们可以看到一些诗歌，比如要送人的话这句就很有名，"劝君更进一杯酒，西出阳关无故人"，这句诗是王维的，到今天还在用。喝到极致的话，还是李白的，"举杯邀明月，对影成三人"，自己一个人，端着一杯酒，对着月亮，首先得喝醉，你发现月亮里除了吴刚还有一个自己，自己眼前还飘着一个自己，对影成三人，这都喝到一种飘飘然的境界了。曹操也借酒发出对人生的感慨："对酒当歌，人生几何。"唐诗当中描写非常舒适、悠闲的生活，也跟酒有关，比如白居易就有"晚来天欲雪，能饮一杯无"，晚上看看天暗了，快要下雪了，大家一想，家里肯定挺冷的，要不坐下来喝一小杯，非常悠闲。

这里边最有名的是李白的《将进酒》，也是一个非常有名的关于酒文化的杰作。

中国文化和西方文化相比，还有一个非常独特的形象，叫酒徒。你看我们中国文化多么博大有趣啊，有很多名留青史、千古流芳的人都是酒徒。现在也有人要学酒徒，于是他喝了个烂醉，但名字倒没在历史上留下，因为以此为借口的人不懂历史。历史当中的酒徒和酒狂到底是什么人？

> "酒徒"是中国文化里一个非常独特的形象，很多好酒之人都以"酒徒"自称，并引以为荣。可是，为什么说以此为借口喝酒的人都不懂得历史呢？历史上的"酒徒"一词，究竟出自何处呢？

这个典故出在《史记》里边，《史记》有个传叫《郦生陆贾列传》。这个郦生就是郦食（yì）其（jī），陈留高阳人（今河南开封杞县西南人），非常喜欢读书，有奇谋，但是落魄不堪，时运不济，这个人很狂，所以大家就叫他狂生。汉高祖刘邦起义，开始反秦，军队久攻陈留不下。正在刘邦无计可施的时候，郦食其觉得机会来了，就去找刘邦，他对看门的军士讲：请你进去通报一声，说有一位六十多岁的儒生，前来求见。军士说：算了吧。大王最讨厌的就是儒生，过去有个儒生来求见，大王

郦食其

（？－前203）秦汉之际陈留高阳（今河南杞县）人。本为里监门。刘邦起义军至高阳时，郦食其自称"高阳酒徒"去见刘邦，献计助刘邦攻打陈留，被封为广野君。楚汉战争中，郦食其说服齐王田广归顺刘邦，同时韩信奉刘邦命攻打齐国，听说齐王归顺的消息，韩信本欲收兵，但帐下策士蒯（kuǎi）彻鼓动韩信攻齐，齐王以为被郦食其出卖，将其烹死。

把他的帽子摘下来当夜壶，当着他的面撒尿，平时谁说话提到儒生他就大骂，所以我也不敢去通报，我建议您最好也不要说是什么儒生来访，大王肯定不见。郦食其不信啊，他认为要成大事总归得尊重儒生，所以就对军士说：你先去通报，通报了再说。于是军士就硬着头皮到帐篷里面通报，刘邦就问：外面来的谁啊？军士说是个大儒，穿着儒家的袍子，戴着儒家的帽子。刘邦说，回去告诉他，我没闲工夫见儒生。军士赶快出来跟老人家讲，大王不见，讨厌儒生。郦食其一听，两眼一睁：你回去告诉你们大王，别说什么儒生来拜了，你告诉他是高阳酒徒拜见。军士只好进去再次禀报，刘邦也有意思，一听来了个酒徒，马上很客气，就对军士说有请高阳酒徒。历史上这个典故就这么流传下来了。

所以我们称自己为酒徒是迫不得已的事情，郦食其称自己为儒生，刘邦不见。所以他才自称为酒徒，故作大言，能够让刘邦觉得这个人很怪。我们现在如果有人说，我是高阳酒徒，来，喝一杯，这完全反了，这不是好事情。

无论作为一种饮品，还是一种独特的文化，"酒"都以它特有的魅力，融入了中国人的生活，并成为不可或缺的部分。在日常生活中，适当的饮酒能够帮助人们舒筋活血、怡情助兴。那除此之外，"酒"还有什么特殊的用途呢？

> 如果一个人在喝酒的时候，能够保证清醒，也就是说控制住自己的量，那么往往借酒可以成事，可以办成很多事情，但我依然不提倡喝酒，因为一般人做不到。

杯酒释兵权。赵匡胤是靠禁军成事的，也就是靠咱们今天说的中央警卫部队登上了皇位，赵匡胤黄袍加身当了皇帝以后，老担心同样的历史发生在别人身上，那样他不也完蛋了吗？有一天，他就把部下的大将全部请到宫里，备上美酒，酒过三巡后，赵匡胤就对手下这些大将讲：各位哥们儿，我当上皇帝都是靠着诸位兄弟帮忙。几个大将一听心里很高兴，皇帝还认我这哥们儿。还记得当上皇帝是靠我们。接下来赵匡胤借着酒说了这么一句话：可是我当了皇帝以后连续好几晚都失眠。几个将领喝得挺好，一听这话，忙问，皇上您为什么睡不着呢？都当上皇帝了怎么睡不着呢？赵匡胤说：我怎么能睡着啊，你们几个对我都是忠心耿耿，这个没问题了，但是，也难保你们的手底下没有一些贪图富贵之人啊？哪天他们找个机会把一件黄袍披在你们身上，你们不也当了皇帝了吗？几个人这么一听，都吓醒了，赶紧问皇上：皇上啊，您给我们赏一条生路，我们绝对不干这个，绝对不想干。赵匡胤又举起杯说：大家喝好。这个时候已经没人敢喝了。赵匡胤继续讲：我看你们还不如回去养老，辛辛苦苦一世，不就是为了子孙后代吗？为了自己享乐吗？你们回去造点大房子，买些良田，多找一些歌女在家里唱唱歌，给子孙后代留下一些东西。这些大将一听，行行，第二天纷纷辞职，这个说我身体不好，那个说我胃疼，这个说我胸不好，那个说我腿瘸了，军队我带不了了，于是集体退休。赵匡胤给他们每人重重赏赐，送他们回老家去了。这也是借酒办成的事情。

现在很多喝酒的人都认为我做得到，没事，结果喝完就醉了。最近因为醉酒驾车对社会造成的危害大家都看到了，多惨烈的事情都发生了。所以，不要对自己的酒量有信心。

《弟子规》对饮酒方面做了禁令以后，用了一连串相当严厉的语气对孩子的行为规范提出要求。一般来讲，《弟子规》在这一段的语气最为强烈坚决。那么《弟子规》对孩子的行为举止还有哪些非常严厉的规定和要求？请大家听下一讲。

第十讲·谨之三

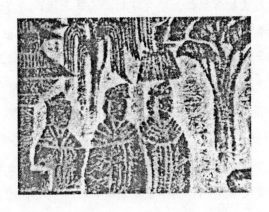

步从容，立端正；揖深圆，拜恭敬。

勿践阈①，勿跛倚②；勿箕踞③；勿摇髀④。

缓揭帘，勿有声；宽转弯，勿触棱⑤。

执虚器，如执盈⑥；入虚室，如有人。

①阈（yù）：门槛。

②跛（bì）倚：偏倚，站立不正。语《礼记·礼器》："有司跛倚以临祭，其为不敬大矣。"

③箕踞（jī jù）：两脚伸直岔开的坐姿，形似簸箕。

④髀（bì）：大腿。

⑤勿触棱：不要撞到家具物品的棱角。

⑥盈：满。

为了让我们养成言行慎重的好习惯，《弟子规》甚至对行走站立都提出了非常具体的要求，那么究竟怎么走，怎么站，怎么坐才是对的呢？

人们常说坐有坐相，站有站相。《弟子规》为了让我们养成言行慎重的好习惯。也专门对我们的行走站立提出了非常具体的要求，那么在《弟子规》看来，我们究竟应该怎么走，怎么站，怎么坐才是对的呢？而这些两百多年前提出的行走站立规矩，是否还适用于我们现代人呢

我们平时都对孩子讲，站有站相，坐有坐相。但是如果孩子回一句嘴：我为什么要站有站相，我不是站着吗？我干吗要坐有坐相，我不是坐着吗？我们家长应该怎么回答他？好多家长的反应是：你这孩子怎么不听话呢？说完扭头就走了。这就达不到教育孩子的效果。

《弟子规》讲："步从容，立端正；揖深圆，拜恭敬。"走路的时候不要慌慌张张，要非常从容；站立的时候不能歪歪扭扭，要非常端正；作揖的时候，腰要弯成一个大大的圆形，叩拜的时候要恭恭敬敬。作揖和叩拜在今天一般是不用了，但是，对尊长行礼的时候要心存恭敬，这个原则是不能变的。走路要有走路的样子，站立要有站立的样子，不仅中国文化有这个要求，全世界大致都是如此。大家如果到欧洲去，那也很严格，要怎么站，要怎么坐，全世界都是这样的要求。

唐朝有个非常有名的诗人叫张九龄，他同时也是位出色的政治家。大家知道他怎么冒出来的吗？他就是因为站有站相冒出来的。他当时在朝廷里的时候，不是一个很重要的人物。但是他非常注意自己的举止，站有站相，坐有坐相，举止得当，所以他在臣子当中非常出众。每次朝廷聚会的时候，皇帝都要对这个人多看几眼，很多比他官位高的人，就要揣摩皇上的意思，怎么皇上老看他？是不是皇上跟他之间有什么特殊关系？张九龄很快就在群臣当中冒了出来。有的朋友会讲，我们不是经

张九龄

(678-740) 唐玄宗时大臣、诗人。字子寿，一名博物。韶州曲江（今属广东）人。张九龄举止优雅、气度不凡，唐玄宗对宰相推荐之士，总要问："风度得如九龄否？"张九龄官至宰相，为人秉公守则、直言敢谏，从不徇私枉法，提倡不拘一格选拔人才。后来因为李林甫进谗言，被唐玄宗罢免宰相职务。张九龄的诗作语言质朴慷慨，被誉为"岭南第一人"。《唐诗三百首》收录的第一首诗即为张九龄的《感遇》。其中"草木有本心，何求美人折"一句是历代传诵的佳句。

常听到这样的话吗，人要注意内在的东西。不要在乎外表。这个话对还是不对？我觉得这个话，说它对它也不对，说它不对呢，它又有点对。为什么？因为这个话不能绝对化。人当然应该注重内在的修养了，但是在条件许可的情况下，也应该注意一些外在的仪表。

古人一直都很重视个人的行为举止，除了"坐有坐相，站有站相"的要求之外，甚至还提出了"立如松，行如风，坐如钟，卧如弓"的具体规定。那么我们究竟应该怎么做，才能做到"立如松，行如风，坐如钟，卧如弓"呢？

什么叫"立如松"呢？站着的时候像松树一样挺直，不能弯腰塌肩，这样是绝对不行的。还有一个抖腿，我有时候看到很多学生站在那里抖腿，非常难看，抖腿是严禁的，是绝对要避免的。当然，我们不能要求我们都是国旗班的礼仪兵，这个我们做不到，但是基本要端正。

"行如风"这句话是我们误解最多的，大家一般把"行如风"理解成一路小跑，像风一样飘来飘去，你以为你是幽灵？不是这意思。"行如风"的意思是挺胸抬头，步伐不要匆忙，像风一样轻盈。而不是说像风一样窜来窜去，不是这个意思。我们知道累的时候，或者心情不好的时候，脚步是迟滞，是拖着走，这个不行。我们心里很自在，很愉快，脚步才会轻盈。《弟子规》后面马上就会讲到，有的时候，你不要以为"行如风"就是没声音，那么我在前面走着，后面悄无声息来了一个人："哎，钱文忠。"会吓我一跳的，不是这个意思。

"坐如钟"，不是今天咱们的钟，而是像古代的铜钟，咱们现在在庙里面都能看到，像铜钟一样坐着。为什么？古人是盘腿坐的，你看，这样坐着就像一口钟的样子，肩也是端着的，你不能盘着这么坐，像个芋头，不像个钟，所以应该像铜钟一样稳健，最重要的是不要东张西望，不要手不停、脚不停。我们小时候受教育的时候——当然这个现在好像不提倡了，我们小时候都要挺胸，我记得一直到了初中，才可以把手放在腿上，我的学校是这样。现在好像没这个要求了，实际上，这样的要求是没有坏处的。坐有坐相，对孩子的仪表，对孩子的身体发育都有好处。

"卧如弓"，睡着的时候像一把弓一样，稍微有一点弯。今天睡觉，最流行两个姿势，一个是趴着睡，第二个姿势是躺着，一个大字。这种睡姿在古人都是要不得的，古人一定要像弓一样，腿略微曲着一点，大家知道为什么？符合自然原理。因为婴儿姿态就是这样，老了以后也会这样。而这样"卧如弓"，假如还不知朝哪儿卧，那应该右卧。大家到庙里面去看卧佛，哪天大家要是看见一个佛朝左卧的，赶快告诉我，我一定要去看看，一般没有，卧佛都是朝右卧，不大可能有卧佛朝左卧的。

这叫什么？吉祥卧。为什么叫吉祥卧？因为这样不压着心脏。右卧不压着心脏，这是非常符合健康原理的，所以古人有这样的要求。懂得礼仪，知道自己应该怎么对待自己的仪表，这个人就有了威仪，有了一种自尊，有了一种尊严，你当然也会有自信。而这样的良好习惯实际上是没有捷径可走的，只有从小养成。

> 从小养成得体的行为举止，对一个人而言至关重要，因为这不仅仅是个人修养的问题，有的时候，甚至还会影响到个人未来的命运，这是为什么呢？

过去大家庭里边有这样一种非常奇怪的规矩：小辈去看长辈，长辈先不跟你说话，先这样从上到下打量你一分钟，很多人以为这是长辈的尊严，长辈的架子，不是的，这叫望气。长辈就要看看你这个小辈，看你的举止。看你这孩子是不是可以造就，在过去这个叫望气，长辈对小辈都这样，老师对学生也是这样，长官对部下也是这样。最好的例子是曾国藩，到他幕府里的人，或者到他手下当官的，都叫你来面谈，他要把你看到发毛为止。他一直要看你怎么做，一两分钟不跟你说话，一个人的坏毛病都会出来的。挠挠头，看看，抖抖腿，如果对面是曾国藩，完了，前途结束，因为他认为你不庄重，不堪造就，这是过去的规矩。类似的故事在中国传统当中是很多的。

春秋时候，中国有一个伟大的预言家叫单襄公。单襄公是观察人、相人的高手。公元前574年，鲁成公和晋、宋、卫、曹、邾等国结盟，古人经常有盟会的，一些小诸侯国在一起开个会，大家有共同的利益，大家一致对外，相互帮助，这个叫会盟。这个时候，单襄公看到晋厉公马上就说，这个人不行，这个人要出事，有灾祸。人家说，晋国是个大国，晋厉公蛮厉害的，身体很好，怎么会有灾祸呢？单襄公说，晋厉公走路的时候眼睛望远不望近，脚步抬得高高的，离地太高，心不在焉，所以这个人迟早要出事。我们如果看到一个人走路时眼睛看那么远，脚抬得很高，我们一般是不会理他的。正像晋厉公这种走法，单襄公认为他要出事，果然晋厉公就出事了。

晋厉公

（？－前573），晋景公之子，姬姓，名寿曼，公元前580年至前573年在位。公元前573年晋国大夫发动政变，将晋厉公处死于狱中。

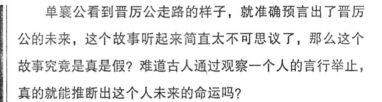

单襄公看到晋厉公走路的样子，就准确预言出了晋厉公的未来，这个故事听起来简直太不可思议了，那么这个故事究竟是真是假？难道古人通过观察一个人的言行举止，真的就能推断出这个人未来的命运吗？

116

中国社会或者中国传统，特别强调礼。我们是礼乐文明之国，我们有非常完备的礼制，所以我们从观察一个人是不是守礼，是不是懂礼，是不是尊礼，基本上可以判断他在社会上受认可、受欢迎、受尊重的程度。如果一个人在社会上很受欢迎，如果一个人在社会上很受尊重，如果一个人在社会上人缘很好，是不是他将来的发展前途会比较好？如果一个人一看就不顺眼，社会上谁都看着他不顺眼，要么傲慢，要么肮脏，要么邋遢，你说这个人会有什么好的前途？所以这里面是有它一定的逻辑。古人为什么要相人呢？农夫可以从天文星象的变化来预知未来几天、十几天，甚至几十天天气变化；有人生阅历的人，也可以从一个人的外貌、举止和仪表当中去预测他的命运。从这个角度来讲，我们不能把相人简单等同于迷信，它不是那么简单的事情。

　　还有一个故事和我们都知道的一个成语有关，叫"鹤立鸡群"。大家都听说过这个成语，但是这个成语的主人公是谁？很多人可能就不知道了。"鹤立鸡群"的主人公就是竹林七贤之一嵇康的儿子嵇绍。嵇绍在曹魏年间担任侍中。嵇绍十岁的时候，嵇康就被杀害了，所以他是在母亲的严格教养下成长起来的，对母亲非常孝顺。当时的晋武帝下诏要征用他，因为他很有名，所以他就到了洛阳去当官。当时有一个非常重要的大臣，还没见到他就问见过嵇绍的人，说这个人到底怎么样？他爸爸嵇康很有名，那嵇康的儿子怎么样？那个人就回答道，昨天我在人群当中一眼就看出谁是嵇绍，因为他气宇轩昂，鹤立鸡群。后来朝廷认为，像嵇绍这样的人，非常注意自己的仪表，非常注意自己的行为举止，非常有尊严，这样的人应该让他去选拔人才。果然，嵇绍一点都没让朝廷失望。当时沛国有个人叫戴晞，年轻有才气，而且和嵇绍的侄子嵇含有非常密切的交往。大家一看，那么有才气的一个人，又跟嵇大夫家的关系很好，这个人将来一定要有大用。但是嵇绍发现戴晞行为轻浮，有的时候不注意场合，不注意仪表，对大家不够尊重，所以嵇绍就认为这个人不堪大用。这个戴晞因为很有才，很多人都喜欢他，后来还是当了官，但是不久，就因为行为不端，罢官而去。大家都非常佩服嵇绍的判断力。

> 一个有修养的人，一定是坐有坐相，站有站相，走路也有走路的样子，而《弟子规》接下来连用了四个"勿"字，指出四种严厉禁止的行为，那么究竟是哪四种行为呢？为什么这四种行为是不好的呢？

《弟子规》接下来连用了四个非常严厉的"勿"字对孩子的一些举止做出规定："勿践阈，勿跛倚；勿箕踞，勿摇髀。"四个"勿"，如此严厉的语气，这在《弟子规》里很少见。"勿践阈"是什么意思？就是进门的时候，不要把脚踩在门槛上。我们知道，古代的门槛都比较高，为什么比较高？古代的门槛是有各种功能的，有一个功能就是挡洪水。我们可以看到，好多孩子过门槛的时候，喜欢站在门槛上，颠颠，不行，这个不庄重。过门的时候跨过门槛，但是千万不能先踩在门槛上，这非常轻浮，门槛不能随便踩的。此外，还有男人先迈左脚，女人先迈右脚的规矩。

清朝最后一个皇帝是宣统皇帝溥仪，当时在故宫里边惹过一件事情。他少年时候好玩，跟着英国师傅庄士敦读书，后来买了一辆自行车，在宫里边骑。故宫里面都是门槛，影响骑车，皇帝下令把门槛给锯了。每个门槛开一个窟窿让他骑车走，当时大家都觉得不是一件很好的事情，因为门槛不能随便碰。

"勿跛倚"，什么意思呢？就是一条腿着地，一条腿颠着，这样靠在墙上，这就叫跛倚。现在很多小孩子觉得这动作很时髦，大概受了港台电影或者有些电视剧里边一些黑道形象的影响，往那儿一靠，这是非常轻浮，非常不好的行为。

"勿箕踞"，古人的坐是席地而坐，盘腿而坐的，一般来讲是跪坐，像老一辈的日本人还是这样跪坐的。你坐的时候，千万不能一屁股坐在地上，把两条大腿这样叉开，这样像什么？像簸箕，这个就叫箕踞，非常不礼貌。今天我们坐在椅子上，两条腿撇开，这样坐着就是箕踞，不能这么坐，非常没礼貌，我们一般要求坐的时候腿是要并拢的，女性更要是这样。女性双腿并拢还略略应该腿侧一点。过去讲究的坐姿，还不能这么并，要稍微侧一点，男性是要并直的。

"勿摇髀"，不能抖动大腿。像《礼记》里边都有这样的话："立勿跛，坐勿箕。"站着的时候，不要一条腿站着，一条腿跷着，颠着在那儿抖；坐的时候，不要两条腿伸直，像簸箕一样，毫无礼貌。下面这一段的话是《弟子规》对孩子的肢体动作做出的一些规定和提醒。

《弟子规》除了对行走站立做出了明确的规范之外，还针对日常生活中的琐碎小事，提出了"缓揭帘，勿有声；宽转弯，勿触棱"，这是为什么呢？《弟子规》为什么会专门针对揭帘子和走路拐弯，提出要求呢？

《弟子规》在这几个"勿"后面还连着"勿"字，这一段《弟子规》语气特别严厉。哪几个字呢？就是"缓揭帘，勿有声；宽转弯，勿触棱"。讲的是我们在日常生活当中非常容易忽略，而实际上是应该重视的问题。我们古人讲"缓揭帘"，因为进门的话，除了外面有个门，很多家里是用帘子隔开的。古人认为，要非常文雅地把帘子揭开，不要弄出声音。我们知道在清朝宫廷有个规矩，军机大臣当中职位最低的打帘子军机要为职位高点的掀帘子。过去清朝的皇宫夏天也得搭一个凉棚，冬天得挂上厚棉被做的帘子。打帘子军机就要做到"缓揭帘，勿有声"。

这个军机大臣走在前面，把帘子揭开时不能有声音，让资历比较老的先进去，自己再转身把帘子放下后进去。这种规矩现在一般人不太知道了，但是现在有一个情况，我们看到很多人推门进来，或者关门出去的时候，根本不注意后面的门，对不对？我小时候有时候不关门，我妈妈会说，看看你的尾巴呢？你是不是身后面有条尾巴啊？过去老辈会讲，小辈就知道去把门关好。现在我们好像不大跟孩子讲这个，不大对孩子有这种要求，包括现在我们看到好多转门，走转门的时候，我们一推走进去了，你不回头看看啊，后面有没有老人？后面有没有小孩？很多人不看，其实最好看一看，要照顾到别人。

"宽转弯，勿触棱"，它对孩子特别强调，一个房子有拐弯的时候，好多孩子想抄近路，觉得自己身轻如燕，急急忙忙就过去了，往往就会撞到这个角上，包括我们今天马路上，看到好多车祸，就是违背了《弟子规》，你如果知道宽转弯的话，好多车祸不会有的，很多人就觉得自己的车技像舒马赫一样，可以一把就过去了。我跟那些朋友讲，一把很容易过去，弄得不好一把就"过去了"。所以就要记住《弟子规》叫"宽转弯"。古人非常讲究行为举止要从容，要小心。

军机处

设立于雍正七年（1729），当时的内阁在太和门外，雍正帝唯恐泄露军政机密，选取内阁成员协助自己处理政务。起初叫做军机房，后来改称办理军机处。这一机构的设置以后就延续下来，乾隆时期简称军机处。军机处的设立标志着君主集权制发展到了顶点，成为清中后期朝廷政务的最高决策机构。

《弟子规》接着提出来的要求，就更加让人费解了：为什么明明拿着一个空的器皿，却要把它想象成盛满了东西？为什么进入没有人的房间，还要特别注意自己的言行，就像进到有人的房间一样呢？

《弟子规》下面还有一些话，在我们今天看来好像有点小题大做，但是大家仔细想想有没有道理。"执虚器，如执盈；入虚室，如有人。"你手上拿着一个空的器皿，比如拿着一个空的盘子，你要把它想象成里边装满了东西。我们现在看到很多大人会叫：儿子，帮爸爸拿个盆来。那也要碰到孩子心情好，孩子心情不好：你自己拿，我不管。一般拿来都这么晃着，反正里面没东西的。古人不可以，你一定要端着，你不要以为它是空的。要想象里面是有东西的。这样的话，你不容易敲碎东西，你不容易敲到别人，你自己也不容易受伤，你的行为又很端庄。"入虚室，如有人"，到了空无一人的房子里，你要像这房子里有人一样。很多人到了一个房子，比如去拜访一个人，这里面没人，一进去东张西望，桌子上看看，柜子拉开来看看，电视开开看看，音响打开听听。虽然没有人，你要认为是有人的，你要放端庄，放尊重，要有一种自我节制，这是古人的要求。这些大家觉得有什么不合情理的地方？我觉得一点都没有。

特别是"入虚室，如有人"，这一点在今天我们的孩子看来会觉得很奇怪。我们的孩子想，我好不容易上了一天课——现在小学生的书包特别重，我都拎不动，孩子回到家里就把衣服一脱，光着膀子在那儿四仰八叉躺着，这不家里没人吗？没人我为什么不能这样？很多人有这个想法。很多朋友上班回来累了一天，回到没有人的地方，我还不能放松放松？这个是没有理解《弟子规》。《弟子规》讲的是一个修身的问题，讲的是要求在一个无论是什么样的情况下，即便是没有人在场的情况下，都要做到有所不为，有所守。这个叫做什么？不欺暗室，就说哪怕这个房间里一个人都没有，而且一丝光线都没有，漆黑一片，伸手不见五指，你一个人待在里面，也要有自我约束。

春秋末期，卫灵公下了一道诏令，规定国人只要经过王宫的门口，都必须行鞠躬礼，表示敬意。刚开始的时候，大家都遵守，特别是在白天。经过王宫，都鞠个躬。而时间一长，慢慢大家都不遵守了，特别在宫门已经紧闭的时候，就没人鞠躬了。宫门已经关掉，里面又没人看得见，又是晚上，我过你的宫门，我鞠你个鬼躬？就不鞠了。有一天晚上，夜深人静，卫灵公和夫人南子正在饮酒，突然听到宫门外头有一些马车声传来，到了这里突然停下来了，过了一两分钟，这辆马车又走了。这个时候国君就问南子，说这是谁啊？南子说，我敢肯定这个人就是蘧（qú）伯玉。卫灵公说，你怎么那么肯定呢？南子说，蘧伯玉是个严格遵守法律和规定的人，他对自己有严格要求，做任何事情非常自觉，不管有没有人在场。他都能够严于律己。刚才一定是这样，他的马车经过宫门口，虽然已经是半夜了，但是他停下马车，下车向宫门鞠躬，鞠完躬以后又上了马车再走。卫灵公说，如果不是蘧伯玉呢？南子说，错了我就罚酒三杯。卫灵公赶紧派人去打听，果真是蘧伯玉。

还有一句我们大家都知道的话，也是古人的要求，什么要求？叫天知地知你知我知，这个典故在古代也是有真实出处的，见于《后汉书》。大将军邓骘（zhì），听说一个人叫杨震，德才兼备，就征召他。征召他以后，这个杨震慢慢就负责我们今天讲的组织人事，负责考察干部、提拔干部，经他手提拔了很多官员。杨震有一次到别的地方去当官，路过昌邑县，当时昌邑县的县令叫王密，就是由杨震提拔的。那天晚上，为了感谢杨震的知遇之恩，这个王密就在没有人的时候带着十斤黄金前来感谢杨震的提拔、栽培之恩。杨震看到王密拿着行贿的金子来，就跟他说：老朋友，我了解你是什么样的人，不然我不会提拔你，但是看来你不了解老朋友我，这是为什么呢？这个话意思很清楚。王密就说：恩人，深夜我悄悄地来，你把这金子收下吧，没有人知道的。杨震回答：天知、地知、你知、我知，你怎么能说没有人知道？王密非常羞愧地走了。后来杨震官当得很大，却为官清廉，从来不接受私下的拜见。这就是古人的要求，你不要以为没有人就可以完全放松了，你到了一个没有人的地方也一定要自我约束。

《弟子规》接下来还有哪方面的规定，希望孩子能够从小养成良好的习惯和修身的大节？请大家听下一讲。

明·戴进·溪边隐士图

第十一讲　谨之四

事勿忙，忙多错；勿畏难，勿轻略①。

斗闹场，绝勿近；邪僻事，绝勿问。

将入门，问孰存②；将上堂，声必扬。

人问谁？对以名；吾③与我，不分明。

用人物，须明求；倘不问，即为偷。

借人物，及时还；人借物，有勿悭④。

①略：忽略。

②孰（shú）：谁，哪一个。存：在家。

③吾：我。

④悭（qiān）：吝啬。

《弟子规》在"谨"的篇尾还特别强调：有些看似不起眼的小事，如果我们不加以注意的话，注注会导致非常严重的后果。那么，究竟哪些事情是我们应该特别警惕的呢？

《弟子规》在"谨"的篇尾，还特别关注了一些日常生活中的琐碎小事，而这些看似不起眼的小事，如果我们不加以注意的话，往往会导致非常严重的后果。那么究竟是哪些事情特别值得我们警惕的呢？如果我们忽略了这些事情，又会造成哪些严重的后果呢？

　　我们前面讲到《弟子规》里有许多对孩子行为举止、待人接物等方面的规定。接着《弟子规》讲："事勿忙，忙多错；勿畏难，勿轻略。"

　　又是三个"勿"。这一段的《弟子规》，"勿"字特别多，语气比较严厉，严格要求孩子必须从小养成这样的习惯。"事勿忙，忙多错；勿畏难，勿轻略。"这些话的意思是，你碰到任何事情都不要慌乱。为什么呢？忙者多错。你急急匆匆的，容易惹出一些麻烦，把好事做成坏事。

　　"勿畏难，勿轻略。"你看到任何一件事情，都不要先有畏难情绪。我们经常看到一些孩子，爸爸妈妈叫他做一件事情：我干不了。爸爸妈妈叫他做道题目：我不懂。什么事情都没做，就先怕了，那你什么都谈不上了。但是，仅仅有"勿畏难"是不够的，还要"勿轻略"。换句话说。一方面，你不要凡事还没做就觉得难；另外一方面，你也不应该还没做就觉得它很容易，轻视它，忽略它，这两个极端都是要避免的。

　　按照《弟子规》的说法，孩子应该从小养成一种良好的习惯，这种习惯在古人那里叫什么呢？临事而惧。你碰到一件事情，先要存一点畏惧之心，你要非常认真，非常踏实、仔细地做好准备，去处理某件事情。如果太畏难，或是太轻略，那么结果都不会理想。这样的故事在历史上比比皆是。

　　开元初年，唐玄宗比较注意选拔人才，当时有四个人非常优秀，其中有一个人叫李杰，这个人当河南尹。唐朝的河南郡相当于现在的洛阳。河南尹是一个地方的长官。既然他当了这个地方长官，就要审案子。有一天，来了一个寡妇告状，她告自己的儿子，罪名是不孝。不孝是中国传统十恶之一，十件最恶的事里，不孝在当时排名第七。因此做母亲的告儿子不孝，那可是天大的罪，是可以判儿子死刑的。李杰就命令手下把这个不孝之子抓到堂上来审问。一审，很有意思。这个儿子说：大老爷，我得罪了我母亲，您也别审了，我只求一死。什么都不辩解。但李杰没有，他做事力求勿轻略，没有掉以轻心。于是，他就劝那个寡妇，说你寡居在家，身边只有儿子一个亲人了，你含辛茹苦把他养大，现在你告儿子不孝之罪，儿子按律当斩。你要想明白，今后后悔可是来不及的。哪知这个寡妇态度非常坚决，说这是一个逆子，我不要他，杀了就杀了，拖出去喂狗。李杰见寡妇这么一个态度，只好说：行行行，我也不审了，你不是他母亲吗？你出去到大街上买一口棺材准备着给你儿子收尸吧。这寡妇一听，好，大老爷答应了要把我儿子给砍了，她很高兴，赶紧出门去买棺材。李杰当即就派了一个人跟着这个寡妇，发现这个寡妇出了衙门一拐弯，那边有一个道士正在等着这个寡妇。李杰派出的手下就在旁边偷听，只听到这个寡妇对道士说：都搞定了。手下把听到的话告诉李杰，李杰一想这里面肯定有问题。于是，等这个寡妇买好棺材来到县衙的时候，李杰再一次劝说，你做妈妈的现在后悔还来得及。这寡妇当然不后悔，死都不后悔。结果李杰下令，把那个道士给拖上来，一审就审出问题来了。原来这两个人有奸情，一个偶然的机会被儿子撞见，这两个人尤其是道士担心儿子去告官，所以就设计除掉这个儿子。儿子倒真是一个好孩子，要被砍头的时候也不说，还说自己得罪了母亲。所以李杰下令当场释放儿子，把那个道士给斩了，尸体就放在那个棺材里。这就是一个非常好的例子，李杰做事情非常缜密，绝对不轻率，避免了一个冤案。

《弟子规》除了强调孩子应该从小养成临事而惧的好习惯，还非常重视环境对孩子的影响，所以提出"斗闹场，绝勿近；邪僻事，绝勿问"。但是现在有些家长却认为，应该从小就让孩子多接触社会，提早了解到社会的复杂性，对孩子是有好处的，那么这种看法对吗？

　　《弟子规》接下来讲："斗闹场，绝勿近；邪僻事，绝勿问。"打斗、喧闹的场合，小孩子不要去接近。那些不正当的、见不得人的、倾向不好的事情，小孩子不要去产生好奇心。

　　古代的中国人，非常重视环境对孩子的影响。孟母三迁这个故事我们大家都知道，为了培养孩子，妈妈不惜搬家三次，不就是为了给孩子找一个比较好的环境吗？现在我们好多家长有一个误区，他们认为孩子将来总归要进入社会的，希望从小就让他们接触社会，每一个场合都让他接触，这样孩子进入社会以后就比较老练。其实这个想法是不对的，因为孩子还没有长大，没有足够的辨别能力，有些场合，特别是对孩子的身心发育、健康成长会产生不良影响的场合，应该和孩子隔绝开来，

孟母三迁

　　即孟子的母亲为选择良好的环境教育孩子，多次迁居。《三字经》里说："昔孟母，择邻处。"后来，大家就用"孟母三迁"来表示人应该接近好的人、事、物，才能学习到好的习惯，也说明环境能改变一个人的爱好和习惯。

不能让他很小就接触这种场合。对那些德行不好的人，尤其要避免让孩子接近。孩子小时候获得知识的主要方法是模仿，所以父母对于未成年的孩子来讲，应该是一把大伞，替孩子遮挡风雨。等孩子长大了，接受了比较完备的教育，心智比较成熟了，有判别能力，有鉴别能力，再让他去接触比较复杂的社会。这才是比较稳妥的。

我看到过一个很好的比喻。我们把一碗清水比成一个孩子，然后我们拿起一支钢笔，往这碗水里滴一滴墨水，这碗清水马上就染上了颜色，不再是一碗清水了。所以说，滴进去一滴墨水是很容易的，但你要把这一滴墨水从水里面提取出来，让这碗水变成清水，那是多么难的事情啊！

《弟子规》接下来还专门提出，如果到别人家里拜访，应该遵守的一系列礼节。那么我们去拜访别人时，究竟应该特别注意哪些事情呢？

《弟子规》接下来讲："将入门，问孰存；将上堂，声必扬。"一个孩子如果要到别人家里去拜访，将要进门的时候，应该先问一下家里谁在啊？家里有人吗？因为古人大多有一个院子，将入门的时候你应在院子外头先问家里有人吗？谁在啊？如果没有人回答你，恰好那门又没关着，你可以推门而入，但在穿过院子要进入厅堂的时候，还得问有谁在家？我们现在的家长有几个去这样教育孩子？现在孩子如果到同学家去玩儿，或者到隔壁邻居家串门，能不能做到这个？很多孩子恐怕是推门就进。这种小事情，我们不能忽略。

你进别人家的时候，高声问一下，可以提醒主人有所准备，不至于让主人措手不及，这反映的是对主人的尊重，对主人隐私的尊重。古人是极其讲究这方面礼节的。《弟子规》的这四句话："将入门，问孰存；将上堂，声必扬。"完全是从儒家经典里面直接引用来的，基本都没改动。比如《礼记》里边就有"将上堂，声必扬"。接下来的一段话："户外有二屦，言闻则入，言不闻则不入。将入户，视必下。"古人都是席子，没有咱们今天的床，如果门口有两双鞋子，那就说明房间里不止一个人，那你就不能推门而入。如果你听到主人在说话，你就可以进去，为什么？因为他们在谈的事情没有什么要回避别人的。"言不闻则不入"，如果你看见门口是两双鞋子，但是听不见里边有说话声音，就不能进去，更不能到墙角那边贴着耳朵拼命听，因为人家可能在谈些秘密的事情。那你应该声高扬，再问一下：我可以进来吗？"将入户，视必下"，我们到朋友家里去拜访，进入人家家门的时候，你的视线要低一点，看方寸之内。我们现在很多人到别人家里一进去，这个地方看看：装修得不错，这幅画不错，这个地方怎么这么放，那么乱。这种方式是不可以的，极没有礼貌的。进别人家，眼睛要看得低一点，万一主人来不及准备呢？万一主人衣服扣子没扣呢？视线先低个几秒钟，再抬头跟主人交往。这就是中国传统的规定，大家想想，中国的礼仪文明，多么细致！多么细腻！只不过后来我们都忘了。

> 《弟子规》要求我们到别人家里拜访时，一定要先高声地问：有人在吗？而根据记载，儒家的代表人物孟子，就曾经因为没有做到"将入门，问孰存"，而导致差点休妻。这是怎么回事呢？

有一个很有名的故事，叫孟子欲休妻，就是孟子动过离婚的念头。

怎么回事呢？有一天孟子回家了，家里就他妻子和他妈妈。他先回自己的房子，推门就进去了，突然看见他妻子在箕踞。因为他妻子一个人在家里，所以没有坐得非常端正，就地一坐，两腿伸开，很放松的样子，这叫箕踞。《弟子规》里讲"勿箕踞"。孟子一看，这还了得？坐姿如此粗野，如此不守礼节！孟子很生气，扭头就去跟自己的妈妈讲要休妻：这个老婆我不要了。他妈妈问为什么？孟子说：我刚才回家看见她居然箕踞，太难看了，不符合礼节。孟子妈妈真是教子有方，说：你敲门没有？你有没有先问问家里有没有人？你进去的时候，是不是眼睛贼贼地直接往前看？有没有把视线放低一点？孟子说：没有。孟母说：即使没有守礼节也是你的不是，你进家门的时候，应该先问问有没有人，进去以后视线应该先看着眼前的地上，你直冲冲地瞪着你老婆看干吗？不许休妻。而且你还要反思一下，你自己是不是守礼节。孟子赶紧承认错误。

所以，在中国传统当中，连夫妻之间都是强调有隐私的，不能说这是我们俩的卧室，我推门进去就完了，这是不可以的。

接下来《弟子规》又往前推一步，比如你敲门：有人吗？里边一般会回答：敲门的是哪一位，是谁啊？我们一般回答：我，连我都听不出来？你耳朵被塞住了？《弟子规》规定："人问谁？对以名；吾与我，不分明。"如果有人问：你是谁啊？老老实实回答：我是钱文忠。你千万不要回答：我！文雅一点儿：吾。这个不分明，谁知道你是谁啊？

我们发现，今天好多电话诈骗用的就是这一手。因为他先要假装你的熟人，他也不知道你有什么朋友，他如果说我是张三、李四，你马上明白了你有没有这个朋友，但他不跟你说，他说是我，一副很亲热的样子。你怎么好意思盯着他问，于是慢慢聊起来，一聊起来你就走远了。这是一种手段，古人早就注意了。这方面也有例子，有闯祸的例子。谁？贾宝玉。

《红楼梦》第三十回讲，贾府戏班子好多小女孩放学以后就到贾宝玉住的那个院子里玩儿，正好天下雨了。这个时候贾宝玉回来了，宝玉在外边拍门，里面的人只顾笑，宝玉就在外面叫：给我开门啊！叫了半天没人去开门。这个当口袭人比较警觉，她就问：谁啊？贾宝玉的回答是：我。好多小姑娘一听，这是不是宝姑娘的声音？因为大概贾宝玉的声音比较奶声奶气，女声女气，大家以为是薛宝钗来了。于是这帮孩子又猜，宝姑娘这时候怎么会来呢？还是袭人比较警觉，说我先隔着门缝看看，袭人跑过去扒着门缝一看是贾宝玉，赶紧把门打开。贾宝玉一肚子火。进门飞起一脚，一下子踢在袭人的肋腰上，宝玉还骂。大家看，这就是一个例子。你贾宝玉如果说，我是宝二爷，谁会不给你开门啊？你说我，谁知道你是谁啊？

　　　　《弟子规》还特别强调，如果使用别人的东西，一定要事先征得主人的同意，否则就是偷窃。那么《弟子规》的话是不是太过严厉了呢？如果我们借用父母的一样东西而没来得及和父母打招呼，这难道也算"偷"吗？

　　《弟子规》关注的都是一些日常的小事，关注的都是孩子在一些小事方面可能会忽略的东西。这些事特别值得我们警惕。下面的八句话："用人物，须明求；倘不问，即为偷。借人物，及时还；人借物，有勿悭。"你如果想用别人的东西，必须当着人的面说明，请求他借给你。如果你问都不问就拿来用的话，即为偷。"借人物，及时还"，你借东西好借好还，好还好借，这是我们平常讲的话，但是现在孩子确实是比较容易模糊和忽略的。孩子在家里都是宝贝疙瘩，拿爸爸妈妈一样东西用用，还是给你们面子呢，要不然问爷爷奶奶要好了，爷爷奶奶如果不给，就跟外公外婆要好了，于是家长都争先恐后给孩子，从小把孩子宠坏了，不知道物品的归属，不知道尊重这件东西的主人。

有一个很有名的故事叫义不摘梨，这个故事见于《元史》。元朝的时候，有一个学者叫许衡，他是一位很有名的儒家大学者。在一个酷暑的天气里，他跟很多人一起逃难，经过河阳（今河南孟州市）时，大家口渴难耐，嗓子冒烟。这个时候，路边正好有一棵梨树，上面结满了梨子，水灵灵的，让人垂涎欲滴。跟他一起逃难的人都争先恐后去摘梨子吃，只有许衡一人端坐在树下无动于衷，旁边的人觉得很奇怪：你这一路急急忙忙赶来，口渴成这个样子，这棵梨树又没有主人，你为什么不去摘一个吃呢？又没有人找你的事。许衡说：梨树是没有主人的，但是你难道不认为这个东西不是你的吗？你心里难道没有主见吗？不知道这个行为类似于偷吗？这就是非常有名的义不摘梨的故事。

许衡

（1209－1281）元代初期的名臣，也是元代一位百科全书式的通儒和学术大师，他曾参与制订《授时历》，比欧洲著名的《格列高利历》还要早三百年。许衡"义不摘梨"的故事之所以传诵近千载，一个重要因素就是在面对诱惑时，能够"管住自己"，这个故事有很强的现实指导意义。

> 义不摘梨的故事说明哪怕是没有主人的东西，也"须明求"，否则"即为偷"，那么关于把别人的东西和自己的东西区分到泾渭分明的程度，还有一个更为极端的例子。

这个故事发生在宋朝。当时有一个人叫查（zhā）道，有一天他带着仆人去拜访一个远房的亲戚。当然，上门拜访亲戚是要准备礼物的，所以他准备了很多礼物。他让仆人挑着担子就去走亲戚，走着走着也不知道是迷路了还是走岔了，一直到中午还没到。两个人都感觉非常饿，饥肠辘辘。而在路边又找不到一个吃饭的地方，他们又没有准备午饭，怎么办呢？仆人就对老爷说：您看这一担子礼物，里面好多吃的，要不您就从这些礼物里边先拿些东西充充饥。查道说：这怎么可以？－这些东西是礼物，礼物就是送给别人的，你当初把它作为礼物了，那你就应该认识到，这已经不是你的东西，而是你送给别人的东西，我怎么能够偷吃呢？于是两个人饿着肚子赶路。一直到了亲戚家，才接受款待，吃了一顿晚饭。这个故事极端吧？今天我们很多人不能理解了：这个礼物是我买的，我要给别人的，但我还没有送到别人手上，这难道可以算别人的吗？但古人就这么认为，虽然不分明，但心里要有主见，就要知道它不是我的。现在我们可以看到社会上也有很多这种拾金不昧的故事，捡到东西一定给人送回去。但也有一些不良的情况，比如把人家东西"昧"下来，看到没有主人，我赶快先拿掉。实际上后面这种行为在古人看来就是偷。

我们应该从小培养孩子一物不苟取的良好品行。这样孩子长大以后，进入社会一定会受益匪浅。如果我们家长认为这些都是小事。孩子拿块糖，从奶奶饼干盒里拿块饼干吃了，也不跟奶奶说，什么东西都是他的，如果我们忽视这些的话，那么孩子就会形成一种随随便便、比较随性的不良习惯。长大以后进入社会，往往会被别人误解，或者会给别人留下一个很不好的印象。到了那个时候，家长后悔都来不及。

《弟子规》到这里结束了它的第四部分"谨"。在古汉语中，"谨"的本意是说话小心，要注意说话。后来泛指谨慎、小心、慎重、敬重、恭敬的意思。《说文解字》里讲：谨，慎也。所以我们今天讲的"谨慎谨慎"是放在一起的。与"谨"相关的词还有畏、敬、恭、俭、让、勤等一系列概念，这些概念都是从"谨"生发出去的。"谨"要求每一个人立身处世要小心谨慎，要接受社会规则的约束，遵循一定的道德准则，千万不能无所畏惧，千万不能放纵自己。这是儒家对个人修养的一种基本的要求。谨，特别重要的是要求一个人有所不为，要求一个人言行慎重，勤勉修身，要经常自我反省，对别人要礼让、恭谦。在中国传统当中，让一个孩子从小养成"谨"的习惯，是希望他将来能够平平安安地度过自己的人生。《弟子规》还非常强调一个概念，什么概念？信，要诚信。而《弟子规》的诚信在它整个的篇章结构里面是崭新的一章，是一个独立的部分。《弟子规》是怎么来讲述诚信的？请大家听下一讲。

136

明·唐寅·山路松声图

第十二讲　信之一

凡出言，信为先；诈与妄①，奚②可下来！

话说多，不如少；惟其是，勿佞巧③。

①妄：言辞荒谬，没有根据。

②奚：何，怎么。

③佞（nìng）巧：花言巧语骗人。

《弟子规》"信"篇开篇就告诉我们说话要诚信为先。但是说话并不是只讲信用就够了，说话还是一门艺术。什么话能说？什么话不能说？如何才能成为一个会说话的人？当天真的孩子面对大人们善意的谎言时，他们又该怎么办？

诚信是中华民族的传统美德，也是儒家伦理的重要内容，更是一个人安身立命的基础，《弟子规》作为一本儒家启蒙教育读本，更是将"信"作为一个独立的单元来编排。在现代社会，诚信一直是个热门话题，现代人之间的怀疑越来越多，信任越来越少。面对诚信的缺失。光靠呼吁道德回归是不够的，还应该从生活的点滴中去规范行为，尤其是对于未成年的孩子们。更应该让他们从小就养成诚实守信的良好品质。那么《弟子规》"信"篇都讲了哪些内容呢？这本几百年前的启蒙小册子。对我们现代人又有哪些参考和帮助？

　　《弟子规》到了这里，就进入了一个新的篇章，进入了一个新的部分，这个部分的核心词或者说最重要的观念，就是"信"。

　　在中国的传统文化中，是高度重视这个"信"字的，为什么我们今天讲诚信？因为在古人的眼里，诚和信、信和诚是一回事。《说文解字》里解释：信，诚也。而讲到诚的时候，怎么讲的？诚，信也。所以在古人的心目中，诚信是一回事。

　　《弟子规》在讲这个"信"的时候，首先要求是你怎么说话。《弟子规》讲："凡出言，信为先；诈与妄，奚可焉！"开口说话，首先要讲的就是诚信，巧言欺骗和胡言乱语，夸张、夸大怎么可以呢？《弟子规》在诚信部分刚开始就是要教大家注意，特别是孩子，你应该实事求是地说话。

　　"凡出言，信为先"，中国传统社会里把这句话和诚信结合起来的最有名的一个典故叫一诺千金。但是大家可能不知道一诺千金背后的故事。

　　一诺千金是个典故，现在已经是个成语，它出自于《史记·季布栾布列传》里的一句话，叫"得黄金百斤，不如得季布一诺"。意思是与其得到一百斤黄金，还不如得到季布的一句诺言，或者叫一声答应。这是一个非常有意思的故事。

秦朝末年，楚地有一个叫季布的人，性情耿直，为人行侠仗义，只要他答应过的事情。无论有多大的困难，他都会办到。

楚汉相争的时候，项羽是楚国的将门之后，季布是项羽的部下，曾经好几次为项羽出谋划策，让刘邦大吃苦头。刘邦想到这件事情就火得不得了，他老记得项羽手下有个叫季布的人让他倒霉。所以当了皇帝以后，就

《说文解字》

文字学书，东汉许慎撰。收字九千三百五十三个，重文一千一百六十三个。字体以小篆为主，有古文、籀（zhòu）文等异体，则列为重文。每字下的解释，一般先说字义，再说形体构造及读音，解说的依据为六书。书成于东汉安帝建光元年（121），是中国第一部系统的分析字形和考究字源的字书，也是世界最古老的字书之一。

下令通缉季布，而季布因为非常讲诚信，大家都非常认同他，很多人暗中帮助他，刘邦一直抓不住他，这个讲诚信的季布经常化装，躲到一些人家里，大家把他隐藏起来。后来，季布求人将他卖给大侠朱家当佣人，朱家知道他就是季布，并没有报官，而是找到了自己的一个老朋友——汝阴侯滕公。这个滕公跟刘邦说得上话，所以才把通缉令取消了。

季布的通缉令被取消了，总算恢复了自由。季布有一个老乡叫曹丘生，这个人非常喜欢结交有权有势的官员。当他听说季布的通缉令被取消后，就叹息道：哎，原来瞧不起我的季布，现在好像通缉令被取消了，看样子皇上又要启用他做大官，他就去拜访季布。季布对他本来就没好印象，听到这么一个人求见，烦得要死，准备数落他几句：你看，我落

难的时候，你到哪里去了？我被通缉的时候，你怎么不来帮我忙？现在我的通缉令被取消了你来看我？哪知道，这个曹丘生真是厉害，一进门，他不管季布的脸色多么难看，也不管季布的话多么难听，又是打躬又是作揖，拼命跟季布套近乎。但是什么用都没有，季布就是不吃这一套。

曹丘生一看，怎么拍季布的马屁都没用，但是他生坚信千穿万穿、马屁不穿。终于找到了最好的一个马屁给季布拍上去。他说：我听说了一件跟你有关的事情，现在全国都在传一句民谣。季布说：哎哟，是吗？什么话跟我有关啊？曹丘生说：大家都在说，得黄金百斤，不如得季布一诺啊。这个话看样子是曹丘生编出来的，季布一听很爽，原来我这个讲诚信价值黄金万两，心里一下子很高兴，就把这个他非常讨厌的曹丘生作为贵宾隆重招待，还留在家里住了几个月。当曹丘生走的时候，季布还送了他一大笔钱。后来，这个故事在我们的传统当中广为流传，"一诺千金"就作为讲信誉的一个最好象征，最好的一个典故，一直沿用到现在。

季布

　　汉初楚人。楚地著名"游侠"，重信诺，当时有"得黄金百斤，不如得季布一诺"之语。楚汉战争中，为项羽部将，数困刘邦。汉朝建立，被追捕，由大侠朱家通过汝阴侯滕公向刘帮进言，得赦免。

> 《弟子规》强调开口说话，诚信为先，也就是说君子
> 一言既出，驷马难追。言必信，行必果。但是事实上，并
> 不是所有的人都是谦谦君子，虽然人与人之间相互承诺，
> 可是有些人所说的话，却总是无法兑现！

在现代社会里，最让人讨厌的就是不守时。我经常遇见不守时的朋友，当然都有借口：哎哟，堵车。那你也没办法。但是有的时候。比如我约你晚上十一点见面，你也堵车？这个我不信。所以我觉得现在我们这个社会强调要诚信，最好是自己首先做到。我们说好几点见面的，希望大家都守时。这一点，我们现代人做的远远不如古人。我们现代人都讲时间就是生命，效率就是金钱，应该很守时，但是要跟古人比，差远了。

东汉时期，有这么一个故事，叫同窗践约，一听就是两个同学按照约定践行自己的诺言。有两个人在洛阳读书，一个叫张劭，一个叫范式，他们是一对好朋友，都在当时的都城读书。两个人学成后分别的那一天，张劭流着眼泪对他的好朋友范式说：今日一别，不知何时才能相见。对古人来讲，旅行麻烦极了，哪像今天，坐着飞机就去了，古代走二百里路都是一件大事，而且两个人要分开很远，

同窗践约

出自《后汉书·范式传》。范式，东汉山阳（今属山东）人；张劭，东汉汝南（今属河南）人。因为"同窗践约"这个守时重诺的故事，延伸出成语"范张鸡黍"，即指范式、张劭在一起大碗喝酒大口吃鸡。以此比喻朋友之间情谊深厚，知己交心。

所以大家很难过。范式安慰他说：张兄，你不要难过，两年后中秋节的中午，我到你家来，与兄台见面，并且拜见令尊大人。说完这句话，两个同学各自回家。

两年以后的中秋节，从早上开始，张劭就开始杀鸡、洗菜、做饭，准备好酒。他爸爸一看：哎，儿子，你这是干吗呢？平时没有那么好的菜啊。张劭说：我在洛阳学习时候的同学，两年前说今年的中秋节中午要来看您，我准备招待他。老人家说：他的家远在山阳，相隔几千里啊，两年前的一句话，今天还会来赴约吗？张劭说：范兄是个讲信义的人，必定会来。正在他们说话的俯候，就看见村外的道路上尘土飞扬，一匹快马驮着范式来到了他家门口，时间正好是中秋节的中午。很多年以后，张劭生病了，临死前他对妻子说：把我们的孩子和我们的家事，托付给范兄，范兄是一个可以托付之人。后来范式果然精心地为张劭办理了丧事，并且终其一生，细致入微地照顾他的孩子。这个故事在历史上传为美谈。

另外还有一个故事也很有意思，叫陈实守时。东汉时有个人叫陈实，有一次和朋友约好了时间见面。可过了约定时间朋友还没来，于是陈实就自己出去旅行。陈实的儿子叫陈元方，当时只有七岁，当然不会跟着爸爸去旅游，所以他就站在门口，没事干。这个时候，陈实的朋友来了，他就问这个小孩：令尊大人在不在啊？这个小孩回答说：家父等候尊驾很久，已经独自出发了。那个朋友很生气：令尊大人这么做不妥啊。和人家约好的，又把别人丢下。这个七岁的小孩子陈元方讲：尊驾和家父约定

陈实守时

出自刘义庆《世说新语》，原文为"陈太丘与友期"。陈太丘即陈实，字仲弓，东汉颍川许（现在河南许昌）人，做过太丘县令。

是在正午的时候，到了正午还不来，这是没有信，你不讲信用了。而这个人还对着孩子骂他的父亲，这是很不讲理的，你一无信誉，二不讲理，你觉得是不是你自己有些不妥？这也是历史上非常有名的故事。

> "凡出言，信为先；诈与妄，奚可焉！"这是《弟子规》"信"部分的开篇十二个字，从字面意思看，告诉孩子们说话要讲信用，不能巧言欺骗或者胡言乱语，更不能夸大其词。也就是说要讲实话、不撒谎，做个实诚人。

北宋有一个非常著名的词人叫晏殊，在他十四岁的时候就被人当做神童举荐给了皇帝。皇帝召见了他，让他和一千多名进士同时参加考试，结果晏殊突然发现这道考题恰好是他十天前刚刚练习过的。一般人怎么办？哎呀，高兴坏了，让我逮着了，我撞到题了，多好。可晏殊没有，他直接向皇帝禀报：皇上，今天的考题不巧，十天前我做过了，请皇上更改考题，重新考试。他这种诚信的品质让皇上非常赞赏，大家也非常赞赏这位神童，觉得太难得了，不仅才学好，而且讲诚信。他当然也考中了进士，当了官。

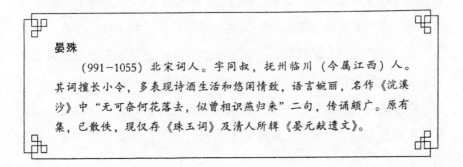

晏殊

(991-1055) 北宋词人。字同叔，抚州临川（今属江西）人。其词擅长小令，多表现诗酒生活和悠闲情致，语言婉丽，名作《浣溪沙》中"无可奈何花落去，似曾相识燕归来"二句，传诵颇广。原有集，已散佚，现仅存《珠玉词》及清人所辑《晏元献遗文》。

当时天下太平，京城的大小官员都没什么事干，平时都是吃喝玩乐，四处游玩。皇帝非常恼火，一看国家大事都没人管了，就派人了解。结果派去的人回来跟皇帝说，有一个人是例外。皇上问，谁呀？派去的人说，晏殊。晏殊怎么了？派去的人说，晏殊从来不出去泡茶馆，也不到那些不好的场合去，他只要一下朝，就在家里和兄弟们读读书，写写文章，填填词。哎呀！皇帝一听，太难得了，我果然没有看错这个人，这个人当年考试的时候就非常诚信，今天我要召见他，要表扬他。皇帝就把所有的大臣们都召集起来，里边就有晏殊。皇帝就说：近来群臣游玩赴宴，热闹得不得了，只有晏殊闭门读书，如此自重，如此谨慎，正是东宫官合适的人选。换句话说，皇帝把太子的教育托付给晏殊，这当然是国家头等大事了。一般人肯定会讲：感谢皇上，我的确对自己要求比较高，严于律己，我是利用每一分每一秒时间认真学习，刻苦用功，我绝不辜负皇上对我的期望。但晏殊没有，他这样回答道：皇上，我得说明，我其实是一个非常喜欢游玩和吃喝的人，只不过实在是没钱。如果我有钱，我早就去参加游宴了。他在这个场合也不说假话，这样一来，反而让皇帝更信任他。晏殊在大臣当中树立了很高的信誉。

"凡出言，信为先；诈与妄，奚可焉！"

古人认为，就诚信而言，天底下的人应该是人同此心，心同此理的。伟大的德行会感动一切，如果以诚待人，以信待人，也会感动一切。

现在媒体有一些报道，比如有些人犯了法了，判了刑了，在监狱里面，为了挽救他们，感召他们，教育他们，监狱会采取一个非常人性化的措施。如果他犯的不是重罪，对社会危害不大，本人又有改过的表现，那么春节就可以让他回去过年。让他回家看看自己的父母，感受一下亲情，是有助于他的改变的。现在我们实行的方法，并不是新方法，古已有之。

有一个故事叫曹摅（shū）约囚。曹摅是晋朝的一个县令，当时他所在县的牢房里关了很多判了死刑的犯人。曹摅在年底的时候去监狱巡视，看到这些死刑犯，心里很可怜他们，就说：过新年是全家团聚的时候，你们现在判了死刑了，在等候处决，你们想不想暂时回家去见一见亲人？这些囚犯都感动哭了，哪里知道一个县令会这么对他们说话，都说如果能够回家看看，就算死了我们也没什么遗憾了。曹摅就说：好，我以诚待你们，希望你们也能以诚回报，我要求你们讲信用。我担这个责任是因为看到你们到现在还痛哭流涕想跟亲人见面，这说明你们身上还有一点良心未泯，还有一点人性，我做主，放你们回家过年。但是，我也派不了那么多人跟着你们，所以我规定一个时间，你们都回来报到。曹摅这么一做，他手下很多人都反对，说这还了得？这些都是重犯啊。你把他们放回去，他们跑了怎么办？这责任不都你担了吗？曹摅说：这些人都是小人，但是如果我们以诚信恩义待之，我相信他们不会负约的。我替诸位担责任，签字画押，如果有犯人逃掉，或者在外面接着犯罪，跟诸位无关。按照历史上的记载，这些犯人到了规定的日期，全部回来报到了。这是中国历史上一则用诚信感人的例子，这样的故事也是数不胜数。

> 一个人只有做到以诚待人、言而有信，才能真正打动别人，才能赢得别人的尊重和认可。那么，《弟子规》除了告诉我们说话要诚信之外，还提醒我们注意，说话时哪些问题是不应忽视的？

《弟子规》讲了第一个原则，说话要讲诚信。第二个原则是什么？"说话多，不如少；惟其是，勿佞巧。"就是说话多不如说话少，应该实事求是，不要巧言蒙骗。《论语》里讲："巧言令色，鲜矣仁。"意思就是说话很花哨，很能够迷惑人，脸上还配合着各种各样动人的表情，这个不行。《论语》讲："君子欲讷于言而敏于行。"君子应该话尽量少说，但是在行动的时候，在实践的时候，要敏捷。

墨子是中国古代比孔子稍微晚一点的重要思想家，有一次他跟他的弟子子禽对话。子禽问墨子：说话多有好处吗？墨子说：那些蛤蟆、青蛙，还有苍蝇，白天黑夜叫个不停，但是你觉得有很多人去听他们吗？子禽说：没有，很讨厌。好，墨子接着讲：但是你看看那雄鸡，每天只在黎明的时候按时啼叫，雄鸡一叫，天下人就要起床，所以多说话有什么用呢？重要的是说话要有作用，要切合实际，这样大家才会听你的，大家才会重视你的话。

古人强调说话不要多，还有一个考虑，这句话也是我们平时经常讲的话，叫"病从口入，祸从口出"。古人认为话如果多的话，不应该让别人知道的机密，就很有可能泄漏，从而惹出麻烦。这种情况如果严重的话，就会误国误民。因为我们知道，中国传统当中，读书人很可能将来是要去当官的，当官是要对天下黎民百姓负责的。所以古代的教育跟今天的教育有一点点区别，特别看重要从小培养接受教育者将来能够担负起社会责任的一种意识。

有一个关于玉器和瓦罐的故事，韩国有一个国君叫韩昭侯，这个人说话不大注意。往往无意之间就把一些重大的机密泄漏出去。他这样一干，身边好多大臣就没有办法为他出谋划策，但他又是个国君，大家对他无计可施，为此很伤脑筋。这时候有一个叫堂溪公的人自告奋勇地说：

病从口入，祸从口出

语出《太平御览》卷三六七引傅玄《口铭》。意思是言语不慎，会招致灾祸。

我去劝劝国君。大家说：你有把握啊？堂溪公说：我试试看吧。他见到韩昭侯以后说：国君，假如现在有一个美玉做的酒杯，价值千金，但是这个玉杯没有底，请问国君，它能够装水吗？国君说：都说你这个堂溪公很聪明，我怎么看你像白痴一样的，一个玉杯没有底怎么能装水呢？堂溪公也不回答，接着又说：国君，有一只瓦罐，很不值钱，但是它有底，而且不漏，请问它可以装酒吗？国君说：当然可以了。于是，堂溪公就因势利导，对韩昭侯说：这就对了，一个瓦罐，虽然非常下贱，值不了几个钱，但是它不漏，可以用来装酒，而一只玉杯，虽然价值千金，非常高贵，但是它没底，所以连水都装不了。人也是一样，作为一个地位很高、一举一动都非常重要的国君，如果你说话不注意，随便乱讲话，那么你就会泄漏国家的机密。您就好比是一只没有底的玉杯，再值钱也没用，只会闯祸，还不如做一只实实在在、确实有用的瓦罐。韩昭侯听了堂溪公这一番话恍然大悟。从此以后，但凡和大臣在一起谋划的时候，韩昭侯都非常小心对待，再也不乱讲话，慢慢的，韩昭侯就像变了一个人似的。当然到最后，这个韩昭侯也是有点过分，过分到什么地步呢？他晚上不跟夫人睡觉，也不跟妃子睡觉。因为怕一不小心把梦话讲出去，泄漏秘密了。

> "话说多，不如少"，言多必失、祸从口出，因此说话不能太随便。那么，什么话能说？什么话不能说？怎样才能成为一个会说话的人呢？

在这个方面，我倒是建议大家回忆一下我的老师季羡林先生的一句话：假话全不说，真话不全说。什么意思？假话不说，这是老先生一辈子坚持的原则，不说假话。但是真话你也不能不分场合地全说出来。比如你看见一位女士从马路对面走过来：哎呀，你怎么今天这么难看啊！也许这位女士早晨起来忘了化妆了，或者急匆匆的，或者身体不适，比较疲惫，也许她的确不如昨天那么漂亮，但是这个真话不能说。然而你也没必要说假话：你比昨天漂亮一百倍。这个也没必要。这就是语言要有节制。在什么样的场合，采取一些什么样的话语方式，这是有讲究的，这就是语言表述的技巧问题。但是，有一个非常重要的原则："惟其是，勿佞巧。"

你讲的话要跟实际的情况符合，不要花言巧语。所以按照季先生这句话的意思，你觉得在这个场合不好说的真话不说出来，但也不要去说假话，还是要把"真"放在第一位。

我们在现代社会里边碰到的一个最大的矛盾和一个最大的冲突，就是遇到善意的谎言，怎么办？

比如我们看到一个病人，你直截了当跟他说：哎哟，你这个病很重，没有两个星期的活头了。这虽是真话，但不能全说。当然你也没必要跟人说：哎哟，你身体健壮如牛，躺在病床上干什么？出去跟我跑步。这个也不对，没必要。这是一种度的控制。

> 说话真的是一门艺术，讲究分寸，但是对于这种度的把握，大人们都不见得能够做到，对于这些未成年的孩子们来说，又该怎么办呢？善意的谎言，孩子们到底要不要说？

按照《弟子规》的要求，要"惟其是"。我们在教育孩子的时候，实际上不必过早地去教他学一些善意的谎言，这是没有必要的。现在我们好多家长，对一些小孩子，或者对马上要工作的比较大的孩子说：你当着老师面应该这么说，你当着领导面应该这么说，这样老师喜欢听，你就能当小队长，领导喜欢听，你没准就能当一个科长。这种教育是千万要不得的。在孩子小的时候，对他的教育应该坚持"惟其是"，你要实事求是地讲话。只有当孩子成长起来以后，你才可以告诉他一些讲话的方式和方法，因为我们知道，儒家也是非常讲究说话技巧的。为什么在儒家传统中，很多人要学《诗经》呢？不是要求每个人都成为诗人，而是希望每个人能够懂得辞令，能够懂得在合适的场合讲合适的话，而《诗经》就是一种对人表达技巧的训练。所以我们中国传统文化当中提倡每个人都要读《诗经》。但是，你如果把《诗经》当中那些非常华丽的辞藻过早地用到培养孩子讲话上来，那并不是一个最妥当的办法。孩子从小还是应该有一说一，有二说二。

现在好多孩子，有的时候家长问他：你考了几分啊？大家认为孩子会怎么回答？我观察过了，有的孩子爸爸妈妈一问：你考了几分啊？孩子回答：我在班级里中不溜。这就是佞巧。你到底考了几分？他说我中不溜，中不溜是一个排序的问题，不是分数的问题，现在孩子有时会这样来回答。你有的时候问孩子说：这次考试，你班级里五十个同学，你排在第几名啊？当然我们不应该过多问孩子排名的，孩子会告诉你：爸爸，我考了八十五分。没准八十五分排倒数第二名，这就叫佞巧。从小应该在这种细节方面去培养孩子一种表述的习惯。

"凡出言，信为先；诈与妄，奚可焉！话说多，不如少；惟其是，勿佞巧。"这样的话，是诚信的第一部分，按照儒家的要求讲，你如何表达？如何表述？如何讲话？是诚信的第一部分和最基础的部分。当然，《弟子规》对于诚信的要求远远不是如此简单，它还有哪些方面的具体要求？请大家听下一讲。

明·朱端·烟江远眺图

第十三讲 信之二

奸巧语，秽污词，市井气，切戒之。

《弟子规》作为一本儒家启蒙教育读本，要求孩子们从小就要谨言慎行，并且明确告诫孩子们有三种言语是绝对不能说的。那么，这三种言语具体指的是什么呢？我们在生活中有没有说过这种不得体的话？与人交谈中，哪些话能说？哪些话不能说？什么样的话该用什么样的语气说？如何才能将自己塑造成一个谈吐得体的人呢？

语言是人类最重要的交际工具，是人与人之间沟通的桥梁。只有谈吐得体的人，才会受到别人的尊重和认可。《弟子规》作为一本儒家启蒙教育读本，不仅要求孩子们诚实守信，还要求孩子们从小就要谨言慎行，并且明确告诫有三种言语是绝对不能说的。那么，在生活中我们有没有说过类似不得体的话？在与人交谈中，哪些话能说，哪些话不能说，又应该用什么样的语气说？

在上一讲里，我们讲了《弟子规》"信"这个部分，讲到人要讲信用、讲信誉。这个部分，首先就是从言语、词语开始的。言语高雅、风趣幽默的人，到哪里都会很受欢迎。相反，言语鄙俗、油滑、闪烁的人，到哪里都会遭到别人的反感。那么，如何让自己在社会上，在和朋友的交往当中受欢迎呢？《弟子规》首先要求大家做到如何不让别人反感，如何不让别人讨厌，要知道哪些话绝对不能说，哪些语气绝对不能用。

"奸巧语，秽污词，市井气，切戒之。"一定要警惕和戒除三种情况，哪三种情况呢？奸巧语，非常奸佞的、存心不良的花言巧语，这种话先得戒除。从小养成这个习惯，不能说奸巧的话。这是第一。

污秽的词语，很肮脏的，很下流的，很鄙俗的，这些话不要让它从嘴里蹦出来，不要说脏话。这是第二。

市井气很浓的，非常庸俗的，张家长、李家短的，这种添油加醋的是非话，零零碎碎的闲话，也别说。这是第三。

这三种情况都是要戒除的。

奸，怎么讲都不是一个好字眼。在我们汉语当中，有很多字眼你既可以从正面理解，也可以从反面理解，但奸这个字，你只能从反面理解。

如果奸这个字再加上花巧，那就是放大了的奸，那是更坏的一个词。言语是内心的反映，就算你再掩饰，你总有露出来的一天。一个说话非常奸巧的人，非常奸猾、非常会耍花巧的人，在中国传统当中，特别是儒家文化当中，绝对不是个好人。

《诗经·小雅》里边有一首《巧言》，意思是非常善于说话，说话非常花巧。下面说的什么，大家知道吧？巧言如簧。大家都记住了巧言如簧这个成语，可没记住后面的四个字：颜之厚矣。意思就是如果你把一个事，花言巧语说得像美妙的歌声那样动听，那这个人脸皮够厚的，所以巧言如簧不是一个褒义词。

刚才讲的是奸巧语，接着奸巧语的是什么？是勿佞巧。

两个巧字连在一起，这绝对不是巧合。像《弟子规》这样影响极大的书。它的编排结构都是非常严谨和富有深意的，两个巧字连在一起，是对我们的加倍提醒。我们中国人说话是很讲究语言技巧的，要求言语得体，对于长辈应该用什么样的言语，对晚辈应该用什么样的言语，关起门来夫妻之间在家里说什么样的言语，打开门到广场上对大众说什么言语，这都是很有讲究的。但是，讲究有一个度，不能超过这个度。如果过了这个度，就成了奸巧，好事就变成了坏事。所以传统教育孩子的时候，一般要求孩子宁拙勿巧。宁愿慢一点，笨拙一点，不要搞得很轻巧，很花哨，这是不可以的。

奸巧也好，佞巧也好，都有各种各样的表现形式。但是，古往今来，奸巧佞巧就两种大类型。我总结了一下，可以分别用两个成语来命名这两大类型：

第一个成语是溜须拍马，这是很奸巧、很佞巧的。溜须拍马的意思是说。一个人在地位比自己高的人面前往往有一种内心的自卑感，会顺着别人说话，去讨好别人。而最终是为了达到某种个人的目的，这叫溜须拍马。但是我们如果不懂得这个成语，我们就不知道溜须拍马到底有多佞巧，有多奸巧。

这个成语分成两件事，一件事叫溜须，一件事叫拍马。

溜须是怎么回事呢？宋朝有个宰相叫寇准，是个大文豪，非常有学问，他有个学生叫丁谓。有一次贵为宰相的寇准请自己的学生来吃饭。我们知道，古代的成年男子往往胡子都很长，而且很漂亮，结果吃着吃着寇准的胡子一不小心沾上了一颗饭粒，但是他自己不知道。坐在他旁边的门生丁谓看见了，就赶紧跑过去，帮老师把这饭粒拿下来，然后把老师的胡须一根根给捋一遍，捋得特别整齐。这个就叫溜须，做过头了！你跟老师说胡子上沾了一个东西，上去替老师拿下来，这都没错。可拿下来之后还给老师溜须干吗呀？这是很佞巧的，古人很不赞成。

什么叫拍马呢？大家知道，元朝是蒙古族入主中原，蒙古族是草原民族，非常喜欢骏马，元朝当官的一般都骑一匹好马。那时候，按照蒙古族的风俗，你去夸这个主人，一定要顺便夸夸他的马：哎呀，你这匹马真漂亮，长得好，英俊，是骏马。但拍马的时候，一般不能拍马头的，你只能"啪啪"拍马屁股。所以在元朝的时候，路上一见面就"啪"一声拍这马：哎哟，您这马真好，您这马怎么那么好，像天上的龙子一样。

溜须后记

这个溜须的故事还有后记：我们都知道寇准生性耿直，在被丁谓溜须之后，他当即毫不领情地说："参政国之大臣，乃为官长拂须邪。"意思是，你身为国家大臣，不是来替我擦胡须的。这一句话把丁谓羞得满脸通红，从此记恨在心，一心要找机会报复。后来宋真宗患病不能上朝，丁谓就串通内侍诬告寇准阴谋拥立太子，不但夺了寇准的相位，还把他贬出了京城。

这个就叫拍马。

溜须拍马凑在一起就是阿谀奉承，就是奸巧的代名词。

像这种溜须拍马的人，在我们的历史上都是笑柄。清朝时有两个人在此道最为有名，一个是和坤。和珅贵为国家大员，官位当然已经很高了，但是只要乾隆一咳嗽，贵为大员的和坤，马上就会捧着一个痰盂给他接着，这就是佞巧。不但做事儿佞巧，他说话也佞巧，但是终有被人揭露的一天，引起别人的反感。所以，当乾隆爷一驾崩，嘉庆皇帝一上台，和坤不就完了吗？这是一个很好的例子。

还有一个溜须拍马的高手，他的水准一点都不亚于和坤，但是我们大家不太熟悉，他叫高士奇。高士奇原来家境贫寒，流落到北京城靠卖字为生。一个很偶然的机会，他碰到了大学士明珠。明珠是一个权臣，推荐高士奇到宫内去工作。这个人很有心机，进宫的时候，身上揣一个小口袋，口袋里放什么呢？放的都是金豆子，一颗颗都是黄金做的，他见了太监就给一颗，然后问皇上最近在看什么书啊？皇上在考虑什么问题啊？回去之后他马上给自己补课，第二天皇上一问什么，他都准备好了。皇上就觉得这个人学问太大了，所以他就越混越好。这个人就是出名的奸巧、油滑。

> **明珠**
>
> （1635－1708）清满洲正黄旗人，官至武英殿大学士。明珠是康熙朝最重要的大臣之一，他官居内阁十三年，在议撤三藩、统一台湾、抗御外敌等康熙朝重大事件中，都扮演了相当重要的角色。同时作为封建权臣，他也利用皇帝的宠信，贪财纳贿，结党营私，晚年被康熙帝罢相。至今仍大名鼎鼎的纳兰性德，就是他的儿子。

有一次，康熙皇帝带着很多人骑着马出去打猎，这时候皇上已经很赏识高士奇了，所以叫他也骑着马跟着一起去打猎。那一天，皇帝骑着一匹新马，比较烈，这只马尥蹶子，啪啪啪，把泥浆水全部溅到了皇帝的身上。弄得皇帝脸上一块泥、龙袍上一块泥，很狼狈，心里很不爽，脸色也很难看。大家都很尴尬啊，不知道怎么办。高士奇骑的那匹马没事，他浑身光鲜，一点泥都没有，但他却跑到一个泥塘里面，就地打滚，把衣服弄得全是泥巴，颠颠地跑到皇帝面前。皇帝一看说：哎，爱卿，你怎么弄成这样？高士奇答：皇上，您真是龙马精神，骑术高超啊，你看微臣被马给摔到泥坑里，弄了一身泥。皇帝想：我这匹马那么不听话，我还骑着，龙袍上才两点泥，哪像你弄一身泥。高士奇就是这么一个说话极其佞巧的人。

《弟子规》中的"奸巧语"就是指奸邪巧辩的言语，说这种话的人往往有两类，一类是溜须拍马的高手，还有一类就是为了自己得到好处，不惜去攻击别人，甚至把别人当做自己的垫脚石。这种人的座右铭就是"走自己的路，让别人无路可走"。那么这类人能总结成哪四个字呢？

这类人总结成四个字就是口蜜腹剑。口蜜腹剑也是有典故的。唐朝的权相李林甫，特别会琢磨人，他主要的专业就是琢磨人，非常阴险狡诈。李林甫只要发现有一个人才华很高，皇帝已经开始赏识他，可能要重用他，就开始琢磨他，然后把他给干掉。李林甫暗算别人的时候，嘴上非常甜，心肠很毒辣，所以当时人称他叫口有蜜、腹有剑，合起来就是"口蜜腹剑"。

他发现唐玄宗非常欣赏一个叫李适之的人。李适之是一个大臣，非常有学问，有才华。李林甫一看，哟，这个人风头要超过我了，他就去找那个李适之。他说：哎呀，你真有才华，我非常希望你赶快提拔上来，你是国家的栋梁啊。华山那里面有金矿啊，有很多黄金，只不过皇上一时间还没有注意到，这件好事你可以去做，你向皇上建议，去开采华山的黄金。这样的话会增加国库收入，皇帝会更加欣赏你，你将来前途无量。李适之就去找唐玄宗，说华山有黄金，建议赶快开采。唐玄宗隔了一天问李林甫说：哎，李适之向我建议，开采华山的黄金。李林甫说：皇上，华山有黄金，臣早就知道了，为什么我不建议开采呢？因为华山在风水上是龙脉，不能动土去挖的啊！黄金跟皇上的龙脉相比，皇上的龙脉更重要，千万不能挖。这么一弄，李适之不就倒霉了？从此以后，皇上就不搭理李适之了：你为了点儿黄金把我们家龙脉给挖了，你还想干吗？这就是口蜜腹剑的典故，这种人都是没有好下场的。

　　到了后来，李林甫一会儿挤对掉一个人，一会儿挤对掉一个人，慢慢地开始独揽大权，使自己成为一人之下、万人之上的人物。但是因为树敌太多，晚年他生病了，渴望再见一眼皇帝，可已经见不到了。为什么呢？因为旁边很多人把他隔开了，他只能由家人扶着站在城门口，看见皇帝远远地站在城楼上，跟他招招手，李林甫回去之后就死了。死了以后还被人掘墓，尸体被挖出来，把身上的官服剥掉。最后李林甫的儿子以一介庶民的身份埋葬了他。所以，奸巧的人，无论你是溜须拍马，还是口蜜腹剑，都不会有好下场。我们有哪个人会愿意自己的孩子成为这样的人呢？没有一个会愿意的。所以我们要按照《弟子规》这样教育孩子，奸巧语不要说。

> 《弟子规》作为一本儒家启蒙教育读本，告诉孩子们从小就要谨言慎行，并且明确告诫孩子们有三种言语是绝对不能说的。第一种不能说的是"奸巧语"，第二种是"秽污词"，也就是骂人的脏话。那么，当你第一次碰到孩子开口骂人的时候，你该怎么办呢？

至于秽污词，当然是指一个人说话肮脏、下流，我们平时说这个人嘴臭，就是这个意思，这种人是典型的缺乏教养。有谁愿意跟一个满嘴脏话的人打交道？没有人愿意的。所以作为父母，见到孩子第一次开口骂人的时候，就必须严厉制止。

现在孩子接受资讯的渠道很多，电影、电视、广播、网络，到外边跟别的孩子玩儿的时候，都会学说脏话。父母一旦听到孩子骂人、说脏话，一定要警示。我们现在有好多父母，特别是长辈，看到孩子说一句骂人的话，因为小孩子长得很可爱，就觉得很好玩儿，有时甚至鼓励他再骂一句，千万不可以这样，一定要孩子从小养成习惯，嘴里不要有脏词，不要说脏话，千万不能因为觉得好玩儿，去纵容孩子。

还有一点特别重要。不知道大家有没有看过钱锺书先生的夫人——杨绛先生写的一个小说《洗澡》？里面描写到，老一代知识分子在家里吵架时马上用英语。为什么在家里吵架要用英语？就是不愿意让孩子听到。因为这是长辈之间的事，不要让孩子受影响。现在，我们好多三口之家父母吵架的时候，气头上的话、不冷静的话都出来了，往往会说出一两句过头的话。甚至是骂人的话来，这样孩子就听进去了。所以，夫妻在家吵架的时候千万不要对骂，如果控制不住，也得避开孩子，不要让孩子从小就生活在不适当的语言当中。

> 老百姓常说上梁不正下梁歪，因此为人父母就应该以身作则，成为孩子的好榜样。其实《弟子规》中提到的"秽污词，切戒之"，绝不仅仅是约束孩子的，成年人也同样适用。接下来《弟子规》还告诫孩子们，说话时不能沾染"市井气"。什么叫市井气呢？

什么叫市井？相传古代的时候八户人家共用一口井，满八户人家就要掏一口井，大家共用，所以市井慢慢地就引申为人口聚集的地方。背井离乡就是这个道理，井就是乡，乡就是井。市井是后来延伸出来的一个词，就是形容人口比较聚集的地方，也有集市的意思。

市井气是什么？粗俗、庸鄙，而且往往带有很强的买卖气，这种语气就叫市井气。在我们的传统当中，这样的语气是要戒除的。现在，我们一般的奸巧语大家都会注意的，说话的时候要掌握分寸，实事求是；秽污词现在一般也会注意，因为开口骂人谁都不会认为是件好事，谁都不会认为满嘴脏话是好事。但是我们最容易犯的、最不小心的就是这个市井气。

我举几个例子，这种情况我想很多朋友都碰到过。在商场里边。一个服务员在那儿卖服装，这时候进来一个人，一看这件衣服标价一百块钱，进来的人觉得贵，问八十块钱可以卖给我吗？这个营业员要八十五块钱。买的人还想争取一下：我就出八十块钱，能不能卖给我。这本来是生活中的讨价还价。但是我们往往会听到服务员说：哎呀，看你这个人，穿得跟公主一样，穿得跟皇太后一样，还缺这五块钱啊？你要缺这五块钱，你穿成这样干吗？这就叫市井气，很庸俗，很鄙俗。

我还看到过这么一件事情。有一次我去买鞋，正好碰见一个老大妈也买鞋，老人家比较细心，多试了几双鞋。那营业员过来了，一般来讲营业员应该欢迎顾客，应该好好说话，但是那营业员态度很不好：哎呀，你烦不烦，挑来拣去的，你到底买不买？这个大妈也有意思：小姑娘，你们这儿贴了一个标语，我一看标语——顾客就是上帝，我还不能挑几双鞋试试？这老人家说的一点都没错。那个年轻的营业员化着浓妆，当时说的话就很过分：顾客是上帝啊，但是您不知道，上帝是个老爷爷，而且上帝是长胡子的啊。您有胡子吗？您是老爷爷吗？您怎么跑我们这儿冒充上帝了？这种话就是市井气，缺德少教，是我们一定要避免的。

市井气在现代社会最集中的反应在哪里呢？我个人对这种现象非常反感，就是动辄称老板。这种市井气必须引起我们的高度警觉。因为在今天，它已经侵入我们的校园中间。现在的校园里，研究生管自己的导师也叫老板，比如我的研究生，有的时候会相互说，你今天干吗去了？我去查个资料。谁叫你查的？我们老板，指的就是我。这也叫市井气，应该戒除。

而戒除奸巧语、秽污词、市井气这三种言语，我们说起来简单，要孩子养成这个习惯可真不容易。这个习惯一定要从小培养，让孩子在他的学习和生活当中远离这一类的言语。家长自己更要以身作则，时时注意为孩子营造一个比较清爽的语言习惯。这样的孩子长大以后进入社会，就会赢得别人的尊重，受到别人的欢迎。

> 语言是人与人之间沟通的桥梁，一个谈吐得体的人很容易受到周围人的喜欢。那么，在与他人的交谈过程中，都应该注意些什么呢？如何将自己塑造成一个谈吐大方、举止优雅的人？接下来有十句非常重要的话送给大家。

有人标举出十句这样的话，第一句是"水深流去慢，贵人语言迟"。一条河，如果它的水很深，那么它的流速一般是比较慢的，最起码看上去比较慢，这就叫水深流去慢。贵人语言迟呢？贵人一般开口都比较晚，或者说话的语速比较慢。中国人有个爱好，就是把大家的孩子抱在一块儿比：你们家的孩子已经开口说话了，我们家的孩子已经能说很多话了，他们家的孩子还不能说话。那时候我奶奶一般就会说：贵人语言迟。就是说你说话比较慎重，比较缓慢，比较迟，是一种尊贵的表现。这句话也叫语言宜少又宜迟，这是第一句。

第二句是"话不可说绝。事不可做绝"。这也是中国传统的一种处世智慧，叫退一步海阔天空，就是别把话说到很极端，让自己没有退路。

第三句是"酒中不语"。现在我们不太注意，喝酒的时候是话最多的时候，我敬你一杯，你敬我一杯，话越来越多，酒越喝越高，这在过去是非常忌讳的。中国传统文化讲究的是，酒中不语真君子，酒气冲头话多过。就是说你说话要注意，不要说出不恰当的话，一喝酒，脑袋一大，什么都脱口而出，这是会闯祸的。

古人还讲"气头不语"。这个跟我们现在也不一样。现在大家郁闷的时候可以去找心理咨询师，心里咨询师会告诉你别生闷气，有什么不高兴、不痛快的你说出来，心理郁闷你叫出来，不行你骂出来。古时候不行，因为传统中没有心理咨询师，你没法跟医生这么说，所以古代讲究气头不语，生气的时候不要说话。因为也许你一生气，不妥当的话就说出来了，所以生气的时候最好不要乱讲话。这是第四句话。

第五句是"熟人不语"，这个话到现在已经完全不一样了。我们今天遇到熟人，遇到好朋友，就要畅聊一番，没话找话，瞎聊狂侃。但古人反而提醒我们，熟人说话更要当心。为什么？因为太熟悉了，大家没有遮拦，言多必失啊。比如大家跟我很熟悉，一见我说：哎呀，钱老师，你怎么这么胖啊，又长了一圈儿？你知道我爱不爱听？这叫熟人不语。过去古人讲"虎生犹可近，人熟不堪亲"，就是老虎再陌生，你上去拍拍它，哪天老虎吃饱了，精神好，没准还舔你一下。但是人与人之间再熟悉，你说话没遮拦那是不行的，要有一定的距离感。这个距离感是对别人的尊重，也是对自己的尊重。而且古人特别强调一点，不能"交浅言深"。交情没有深到这个地步，话说得很深，这是很不合适的。

第六句是"邪事不语"。不正当的事情，或者擦边球的事情，不要乱讲。现在我们好多孩子不太注意。比如好多孩子凑一块儿相互会问：你这张碟片哪儿买的？我正规店里买的。我这张地摊儿上买的，盗版，五块钱。这个话在过去都不能说，因为做的不是一件正当的事情。所以这个叫邪事不语。

第七句是"戒秽污词"，这也是古人的话。秽污词你不要讲，脏话不能讲，这个《弟子规》里提到了。

第八句是"戒轻诺"。就是你不要轻易许诺，轻易答应别人。

第九句是"戒话扰"。就是人家很忙的时候，你不要去打扰人家。比如我在忙一件事，你突然来唠叨，说一些无关紧要的话，会让人很讨厌。

最后一句是"戒揭短"。拿我举例子，比如有些朋友问我：钱老师，你有一米七吗？那不就是在揭我的短吗？所以这样的话最好不要说。再比如你看到一个女孩子：哎呀，好久没见，你怎么胖成这样了？在今天，这都算揭短。所以大家要知道在中国传统文化当中有很多这样的俗语。《弟子规》也就是从这些智慧当中提取出来的，把它融入生活，来教育孩子从小养成一种谨言慎语的习惯。

我们千万不要把说话当做一件小事。在语言的表达方面，在和别人的交谈和交往方面，我们在使用语言的时候，还应该有哪些地方要时刻注意？请大家听下一讲。

宋·马远·踏歌图

第十四讲　信之三

见未真①，勿轻言；知未的②，勿轻传。

事非宜，勿轻诺；苟轻诺，进退错。

①真：真实情况。
②的（dí）：确实。

在什么情况下不能轻易发表自己的意见？什么样的事情不可以随意传播？什么样的要求可以答应别人？什么样的要求是不能够答应的？如果承诺了对方却没能兑现该怎么办？当遇到这些问题时，《弟子规》会教我们如何处理呢？

现代社会信息爆炸，五花八门的资讯充斥着人们的耳目。对于未成年的孩子来说，当他们面对各种诱惑的时候，更容易失去正确的判断，不知所措。因此，让孩子们从小养成诚信的道德观和良好的语言表述习惯至关重要。让他们从小就明白，什么情况下不能轻易发表自己的意见？什么样的事情不可以随意传播？什么样的要求可以答应别人？什么样的要求是不能够答应的？如果承诺了对方却没能兑现该怎么办？关于这些问题，《弟子规》又会给我们什么样的建议呢？

当今的社会生活实在是丰富多彩，所以教育孩子从小就按《弟子规》要求养成"见未真，勿轻言；知未的，勿轻传"的良好习惯，就格外重要了。不是你亲眼所见的，或者就算是你亲眼所见，但是看得并不真切的，就不要轻易发表自己的意见。对于事情的真相，没有足够的把握，没有确切的了解，就不要轻易地去传播。这四句话背后是一种慎重的、踏实的、负责任的习惯，是一个人的立身之本，是为人处世应该遵循的基本准则。

否则，即便是最大的学问家，最有才华的人，也会闹出笑话来的。我们大概没有人敢说自己比苏东坡聪明，或者说比苏东坡有才气吧？但他就犯过这样的错。

据说，有一天，苏东坡到丞相王安石的府上去拜访，当时王安石正忙着接待别的客人。于是家里的仆人就引导苏东坡到书房里先坐一下，等王安石忙完了再过来相见。苏东坡在王安石的书房里等得挺无聊，就跑到了书桌前看看。他发现王安石的书桌上有一张纸，纸上有一首还没写完的诗，里面有两句：昨夜西风过园林，吹落黄花满地金。意思是昨天晚上，西风吹到了我的园林里来，把菊花全部吹落在地，一片金色。苏东坡读完以后，哈哈大笑，说你这叫什么诗，堂堂一个丞相，又是一代大文豪，连季节都没搞明白。秋天，是菊花盛开的时节，怎么会有菊花落下来呢？所以苏东坡就拿起笔写了后两句：秋花不比春花落，说与诗人仔细吟。意思是：菊花跟别的花不一样，秋天不掉的，你这位诗人啊，想明白了再吟诗吧。写完之后笔一扔，走了。过了不久，苏东坡犯事了，被贬为黄州团练副使。到了这个地方，有一年的秋天，他推门一看，突然发现自己花园里边的菊花被风吹落满地，一片金色。苏东坡大惊：菊花秋天怎么会落呢？"见未真，知未的。"你看到的只是一部分菊花，你了解的也是一部分菊花，天底下的菊花，真有秋天会落的。这就是一个例子，再有学问的人，如果不注意、不慎重，也会犯错误。

苏东坡误以为菊花在秋天是不落的，这还是有影子的，但是还有好多事情，连影子都没有。假如我们轻易相信，往往就会产生错误的判断，甚至让一些别有用心的人达到他们不可告人的目的。

西汉时期，南阳有一个人叫直不疑。此人好学，不图名利，非常忠

苏轼

（1037-1101）北宋文学家、书画家。字子瞻，号东坡居士，眉州眉山（今属四川）人。嘉祐进士。宋神宗时曾任祠部员外郎。

苏轼与王安石"菊花诗"一事之后，王安石虽然没直接责备苏轼，但心中一直不快。所以在苏轼遭贬时，王安石便建议皇帝将他贬到黄州，有意叫苏轼看看是不是"西风过"、"遍地金"。当然，苏轼这次遭贬，对他的诗文创作并非坏事，不仅给他带来了创作丰收期，享誉四海的"东坡"雅号也由此而生。

厚。后来朝廷发现了这个人才，就让他去当了一个官。旁边有人开始嫉妒他，就诽谤这个直不疑：这个直不疑啊，相貌堂堂，也有水平，书读得也不少，但是这人品行不端啊，和他的嫂子有不正当的男女关系。这下，天底下的人都怀疑这个直不疑，认为这个人很不堪。直不疑一看没办法了，开始还不想去争辩，到最后直不疑说：瞎扯什么呢，我连哥哥都没有。哪里来的嫂子啊？朝廷一查，直不疑果然没哥哥。这就是非常有名的一个典故，叫"无兄盗嫂"（《汉书·直不疑传》）。我们在现实生活当中，遇到什么事情，假如没有确实的证据，就不要轻易地乱讲，也不要轻易地相信。有这样一句谚语，叫"谣言止于智者"。谣言，碰到了真正有头脑的人，就没有市场了。

过去，民间流传这么一首打油诗，很有道理："谗言慎勿听。听之祸殃劫。堂堂七尺躯，莫听三寸舌。舌上有龙泉，杀人不见血。"什么意思？就是说谗言你不要去听它，听了以后就会有灾祸、有劫难的，堂堂七尺男子汉（过去一般讲男子汉身高七尺。当然过去的尺子比较短了，不是今天这种尺子，如果按照今天的来算，三尺一米，那么这个人就是两米三三，比姚明都高，那是不可能的），不要相信三寸舌头。你人高七尺，舌头才三寸，为什么要相信它？舌上有龙泉，杀人不见血。龙泉是宝剑（龙泉在今天的浙江，出宝剑的地方），舌头像龙泉剑一样，有的时候杀人不见血啊。传说有人拿着宝剑去砍一个人的头，其中有一把宝剑很锋利。砍完了以后，这个人头滚到一边居然还瞪着刀说：好快一把刀！假如你相信谣言，就是你自己倒霉；如果不仅你自己相信，还竭力地去传播谣言，那就非常有害，很有可能使社会产生一种不安，产生一种动荡。

"见未真，勿轻言；知未的，勿轻传。"《弟子规》用这十二个字告诫孩子们，任何事情在没有看到真相之前，不要轻易发表意见，对事情不了解时，不可以轻易传播。正所谓人言可畏，众口铄金，积毁销骨，三人成虎。

　　三人成虎这个成语背后也有一个故事。《战国策·魏策二》中说："夫市之无虎明矣，然而三人言而成虎。"什么意思呢？在一个城市里，怎么可能有老虎呢？这个道理不用说大家都明白。但是三个人都说有老虎，大家就真的相信有老虎了，这就叫"三人成虎"。

　　战国的时候。各国之间彼此互相攻伐，但是也经常妥协，签订一些和约、盟约。签完了盟约，为了让双方信守，有个规矩是彼此把国君的儿子交换一下，作为人质押在对方那里。那个时候，正好魏国跟赵国签了一个类似于停战协议的东西，于是魏国就要派自己国君的儿子去别国当人质。当时有一个大臣姓庞，奉命护送太子到敌国的都城去。因为他心里知道，自己陪着国君之子到别的国家去，难保旁边没有小人进谗言，自己又不在国君身边，连一个申辩解释的机会都没有，所以想事先跟国

《战国策》
　　战国时游说之士的策谋和言论的汇编。展示了战国时代的历史特点和社会风貌，是研究战国历史的重要典籍。西汉末刘向编定为三十三篇，"战国策"的书名也是刘向拟定。《战国策》长于议论和叙事，善于用寓言阐述道理，著名的寓言故事"画蛇添足"、"亡羊补牢"、"狡兔三窟"、"狐假虎威"等都是出于这部书。

君敲敲警钟。但是话不能直说，古人很讲究说话方式的，只能用比喻。

临行前，这个大臣就对魏王讲，大王啊：假如现在有一个人来跟您说，街市上出现了老虎您相信吗？魏王说：这不胡扯吗？这么多人哪来的老虎呢？我不相信。这个姓庞的大臣说：假如又来了一个人，跟大王说，街市上有一只老虎，我看见了，大王您相信吗？魏王说：又来一个人说，这我就有点将信将疑了。这个姓庞的大臣紧盯着魏王又说：大王，如果现在有第三个人跑过来跟你说，街市上来了一只大老虎，我看见了，您相信吗？魏王说：那我肯定要相信了，三个人都说有老虎啊。这个大臣就说：街市上不会有老虎，大王，这是明明白白的事情啊。现在经过三个人一说，您就相信真的有了老虎。现在赵国的国都邯郸远离魏国的国都大梁，我身处异地，议论我的人，说我坏话的人，一定不止三个，希望届时大王您明察。魏王说：好的，好的，一切我都知道，你放心去吧。

但是，当这位姓庞的大臣陪着魏王的儿子完成了使命，回到魏国的国都大梁后，魏王再也没有召见过他。为什么？还是听信了谗言了。也就是说这个谣言不断传播，不断重复，它的欺骗性会增加。如果我们轻易去传播谣言，我们在无意之间就成了一个帮凶了，就成了传播谣言的人的工具，这是我们要再三警惕的。判断一件事情的真伪，必须仔细观察，不能道听途说。假如我们忘记了"三人成虎"这个典故的话，那么在我们的生活当中就会有各种各样的谣言，传来传去，扰得我们生活不得安宁。

这一部分的《弟子规》，讲的一个关键词，或者叫核心概念，就是一个"信"字。既然要讲信，就不可能不讲承诺，不可能不讲诺言。

人们常说，君子一言既出，驷马难追，所以答应别人的事情，就一定要做到。但是在生活中我们往往会碰到这样的情况，对于别人提出的要求不好拒绝，勉强答应后又无法做到。那么遇到这样的情况时，我们又该怎么办呢？《弟子规》又是如何告诉我们的呢？

"事非宜，勿轻诺；苟轻诺，进退错。"

天底下的事情，没有一件是轻而易举就可以去做的，所以你不要轻易地答应别人。如果你轻易地答应了别人，而实际上又做不到，就会把自己放到一个非常尴尬的境地，进也不是，退也不是，狼狈不堪。《弟子规》里边的意思非常清楚，道理也很简单，但是我们仔细想一想，真正要做到确实千难万难。

在现实生活当中，这样的例子真是太多了。一位男士跟他太太说自己是钓鱼的高手：我今天钓点鱼回来，晚上准备好熬鱼汤吧。但他又钓不着，只好去买了两斤鱼，可被太太发现了，说：人家钓的鱼，都是有大有小的，怎么你钓的鱼都是一个品种的，还都一样大小的。所以我们在承诺某件事情之前，一定要仔细思考，充分衡量，不适合自己的，自己没有能力做到的，就不要承诺；假如承诺了，就一定要做到。

这里我给大家介绍一个古代守信用的典范人物叫魏文侯。魏文侯是战国时期魏国的国君。魏文侯守信，在中国古代是传为美谈的，而且被载入了法家非常重要的一部著作《韩非子》里。

我们知道国君一般都有自己打猎的场地，比如过去清朝的皇帝，在承德那边打猎，那边有围场，所以有管理那个地方的官员。有一次，魏文侯跟自己猎场的官员约好，什么时候我要来打猎。到了约好打猎的这

魏文侯

（？－前396）名斯，战国时期魏国百年霸业的开创者。李悝(kuī)、吴起、西门豹等著名将相都为他所用。他在战国七雄中首先实行变法，改革政治，奖励耕战，兴修水利，发展经济，使魏成为当时的强国。军事上西取秦的河西，向北越过赵国攻灭中山，疆域得到极大扩展。

天，突然刮起狂风，身边的侍从就劝魏文侯：那么大的风，您就不要去打猎了，魏文侯不同意。那个时候没有手机，也没有电子邮件，也没有办法通知那边的官员。魏文侯就说：不可以因为风大的缘故就不去了，事先没有通知他们，现在单方面取消，这样的事情我不能做。所以魏文侯自己驾着马车，顶着大风赶过去，通知管理猎场的官员取消这次打猎活动。约定相会的日期，如果不能如约前往，应该在事先通知对方，免得别人苦等，这是守信，也是对别人最起码的尊重，从小应该培养孩子养成这种良好的习惯。

在现代生活当中，我们很多人都把这当小事，比如上级跟一个下级约好了。明天晚上五点半，在那里聚会，谈一件事情，上级突然有事了，往往不通知就不去了：你是我部下，你等等怎么了？这是千万不可以的。因为在讲诺言、讲信誉、讲守信方面，没有上下级的区分，没有尊卑的区分。也没有长幼的区分，作为上级，作为长辈，更应该以身作则，社会要健康地运行，需要每个人都做到诚实守信。

魏文侯在位的时候，受到当时各国的普遍敬重。其实当时的魏国并不强大，主要就是因为魏文侯诚格的感召力，让大家特别地敬重他。

> 《弟子规》告诫孩子们，无论说话做事都要遵循一个"信"字，诚实守信才是立身之本。凡事都要量力而行，无法兑现的事一定不要承诺。话说起来容易做起来难，当你承诺别人的时候，往往预料不到这件事情有多难，那么当你无法兑现诺言的时候，又该怎么办呢？

《世说新语》中记载了一个叫华歆的人，让我们来看一下他是怎么做的呢？

当时国家大乱，各地战火纷飞，华歆要逃难，同行的还有他的一位同伴叫王朗，两个人一起坐船避难。本来船就很小，又装了很多东西，后面还有追兵，这个时候有一位陌生人突然过来说：救救我，捎我一把，让我也坐你们的船逃跑吧。华歆很为难，船太小了，他们自己还想快点逃走。所以华歆就拒绝了这个人的请求，说我带不了你，你还是自己保佑自己吧。但是旁边的王朗说：哎，华歆啊，船虽然小了点，不是还可以挤一个人吗？也不会沉没，你还是让他上来吧，咱们积点德、行点善，能帮一个人也算做件好事。华歆这么一听，就没有继续反对，这个陌生人就上了船。船上很挤很重，船速当然就慢了，就在这个当口，后面的追兵已经赶上来了。王朗慌了，就跟这个陌生人说：哥们儿，我们管不了你了，要么你跳河里，要么我们靠岸，你自己走。这时候华歆说：不行，我

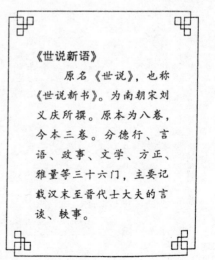

《世说新语》

　　原名《世说》，也称《世说新书》。为南朝宋刘义庆所撰。原本为八卷，今本三卷。分德行、言语、政事、文学、方正、雅量等三十六门，主要记载汉末至晋代士大夫的言谈、轶事。

当初之所以不敢答应他，不敢承诺带他走，就是怕后面的追兵赶上来。但是现在我们已经答应他了，已经承诺他了，就不能因为危难而把他抛下，我们现在必须带着他一起走。这个故事在当时也传为美谈，所以被记载到《世说新语》里边。

"事非宜，勿轻诺；苟轻诺，进退错。"

如果不按照《弟子规》的要求做，随口答应别人，随口许诺别人，那会出现什么结果呢？这样的故事更多。有一个故事也很有名，但是大家不一定熟悉，这个叫棘刺刻猴。

> 在荆棘的尖上刻一只猴子，这听起来似乎是一个不可能完成的任务。谁又会做出这样的承诺呢？这样的承诺又该怎么兑现呢？

春秋战国时候，燕王有一个嗜好，就是收集各种各样非常精巧的玩物，特别是别人没有的珍奇宝贝。有时候为了得到一个自己喜欢的玩物，他不惜千金。有一天，卫国有一个人拜见燕王，他对燕王说：您不是喜欢宝贝吗？我能给你做一个宝贝，世上没有第二个。燕王当然感兴趣了，就问他：你能为我做什么人间宝贝啊？我这宫里面有的是宝贝。这个卫国人说：我手艺高超，有独门的绝活，我能给你刻一只猴子。燕王说：活猴子我那儿还有一堆呢，我还用你给我雕刻猴子。这个人说：大王您别急，我能够在一根荆棘刺的刺尖上给您雕刻一只猴子。这个就是今天讲的微雕，顶级的微雕。燕王说：这个我听都没听说过，居然在那么小的地方可以雕一只猴子。宫里面金银宝贝有的是，但是没有这么小的猴子啊。于是心里很是高兴，赶紧让人给他安排最好的生活，并且给了他方圆三十里地，作为那个卫国人的封地和俸禄。然后国王就问那个卫国人：你真能办到啊？卫国人说：没问题啊，我一定给大王刻好。燕王一想：你不给了我承诺吗？好，你去刻吧。

过了几天，燕王心里痒痒啊，就把这个人叫来问：我想马上看一看，你给我雕刻的那只小猴儿呢？这个卫国人承诺是承诺了，可怎么刻得出来啊？这明摆着是不可能完成的嘛。卫国人一下子进退两难，他刻不出来。但又答应了国王，你这不是找死吗？所以卫国人开始编故事，说在荆棘刺尖上刻的这只猴子，那不是一件凡物，一个人要有诚心才能看见。他又对国王说：国王啊，您要向我保证，半年之内不进后宫，不能去找你的王后和妃子，半年之内不得饮酒、吃肉。国王一下就晕掉了：为了你一只猴子，你让我半年不进后宫，半年不喝酒吃肉。燕王很犹豫。这个时候，卫国人说：还没那么简单啊，这个还是最基本条件，你还得赶上一个雨过日出的好天气，还要抢在阴晴转换的那个瞬间，你才可以看到这只猴子。

进退失据，卫国人开始编谎话了。但是大家别忘了，真相终究是会显现，真的就是真的，假的就是假的。骗得了一时，骗不了一世。这个时候，郑国有一个铁匠觉得这里边有诈，就去找燕王：大王，您看到猴子了吗？大王很郁闷，说看不着。铁匠问：为什么看不着呢？大王说：这个人说他能刻，但是他要求我半年之内不进后宫，半年之内不饮酒吃肉，还得等一个雨过日出天气阴晴转换的那一刻才能看到，看样子我没有福分。这个铁匠说：大王，你能看到。大王说：你怎么说能看到。铁匠说：您先问问他到底是真的还是假的。大王说我问不出来。这个铁匠说：好问啊，我是打刀的，如果要在那么小的一个尖上刻东西，他首先要有一把刀，比那个尖还要小的刻刀，不然怎么刻？总不能拿把菜刀去刻吧？我是一个铁匠，我知道如果大王您要叫我打这么一把刀的话，我是打不出来的，我做不到。既然这个卫国人跟您说有办法在荆棘刺上雕一只猴，您可以这么问他，说我知道这只猴雕起来很费工夫，一时半会儿我看不着，这是对的。但是你竟然能雕这么一只猴。您总得有这么一把刀吧？您先把这把刻刀给我看看，让我过过瘾。等我看到了这把刀，就下决心半年不进后宫，半年不去吃酒肉，等着看这只猴子。国王一想，好主意，就叫人把那个卫国人叫来，如此这般地跟他说了。这个卫国人说：有啊，这刀我有，可是我来见大王，随身不敢带啊，哪儿有见大王随身带把小刀的，我回去拿。卫国人回去之后，左等不来，右等不来，等燕王再派人去找他的时候，发现已经人去室空。

我们传说当中有很多这样的故事，都是为了告诉大家不要轻易地承诺。承诺了以后，如果做不到，会让自己非常被动。当然这个故事里边的卫国人，已经有点招摇撞骗的嫌疑了，这是另外一个层面的事情。所以我们要牢牢记住《弟子规》这段话："见未真，勿轻言；知未的，勿轻传。事非宜，勿轻诺；苟轻诺，进退错。"

承诺是无比沉重的，在承诺之前，你要考虑好你所承诺的事情以及你个人的能力。一旦承诺了，唯一的选择就是履行这个承诺，把这个承诺变成事实。

《弟子规》里讲了哪些话不能讲，哪些语言要避讳，哪些不好的表述习惯从小要戒除之后，又给我们讲述了对诺言、对承诺的一种良好习惯的养成。《弟子规》所关注的还远远不止这点，甚至要求我们在教育孩子的时候，对孩子的咬字、吐字的方式，以及说话的轻、重、缓、急都应该有所注意。希望从最小的细节开始，从小培养良好的语言习惯。《弟子规》在这方面有哪些具体的规定？请大家听下一讲。

第十五讲　信之四

凡道字①，重且舒②；勿急疾，勿模糊。

彼说长，此说短；不关己，莫闲管。

见人善，即思齐；纵去远，以渐跻③。

见人恶，即内省；有则改，无加警④。

惟德学，惟才艺；不如人，当自砺。

①道字：说话吐字。

②重：指发音吐字清楚。舒：流畅。

③跻（jī）：登，升。这里指升入同一行列，成为同一类人。

④无加警：无则加勉，警告自己不去做。

《弟子规》作为一本儒家启蒙教育读本，就是通过规范生活中的言行来塑造一个人的良好品格。那么。《弟子规》是如何规范孩子们日常说话中的咬字吐字的？说话的时候，又应该怎样控制语言的轻重缓急呢？

人言为信，言必信，行必果。因此《弟子规》"信"篇，就是通过规范孩子们日常生活中的言行，使孩子们从小养成良好的语言表述习惯。不仅如此，《弟子规》还对孩子说话时咬字吐字，以及语言的轻重缓急做了明确的规定。那么，《弟子规》在这方面具体是怎么要求的呢？儒家文化特别强调榜样的力量，《弟子规》作为一本儒家启蒙教育读本，又会树立孩子们一个什么样的学习榜样呢？

《弟子规》前面讲要重信义，要重承诺。无论是讲信义也好，还是重承诺也好，在大多数的情况下，都离不开语言表达。《弟子规》对一个孩子从小如何养成恰当的语言表达习惯，或者说一个孩子从小应该怎么说话，都做了非常严格的要求。

"凡道字，重且舒；勿急疾，勿模糊。"你看，这已经关注到孩子们的咬字吐音，说话的时候应该口齿清楚，声音洪亮，发音舒缓，不要着急，也不要含糊其辞。这些非常细节的地方，往往是我们教育孩子的时候容易忽视的。我们在教育孩子的时候，比较重视孩子是不是口齿伶俐，是不是语言快捷，是不是反应急速，但是别忘了，所有的快捷也好，口齿伶俐也好，都要有一个度。

不论在什么场合，说话都应"重且舒"。按照《弟子规》的要求去做，你就会受到很多益处。

现在大家一般都比较关注美女，其实在中国古代好多美男子也是备受关注的。有一个美男子，我们过去没有提到过，他之所以在历史上地位特别高，受到广泛赞赏，有一个相当重要的原因就是他说话是"重且舒"的典型。

这个人的名字叫裴楷，字叔则，河东闻喜（今属山西）人。他是西晋时期非常重要的朝臣，也是当时非常著名的名士。

裴楷在当时有一个称号，叫玉人，就是说他长得像玉一样，非常温润、洁白、细腻，典型的一个美男子，他风神高迈，仪表俊爽，即使粗服乱头也气宇不凡。当时的人们称赞他：见裴叔则，如玉山上行，光映照人。你只要跟他一见面，就好像面前是一个玉雕的人，好像人行走在玉做的山上一样，光彩照人。他之所以如此有名，不仅是因为他的仪表像玉一般的温润、雍容，更重要的是因为他的风采也像玉一般的清修高洁，他说话非常有涵养。

由于家教好，他从小说话就非常注意"重且舒"。他的学问也不一般。精通《易经》、《老子》等经典。你说一个学识渊博、谈吐儒雅、咬字清楚的美男子能不招人喜欢吗？因为他很有名，所以被招到皇帝面前去侍读。皇帝的气派比较大，一般自己不看东西，如果一些圣旨，一些比较重要的文件，他就让裴楷读给他听。据史书上记载，由于他口齿清楚，发音凝重，所以大家为他总结了八个字：左右属目，听者忘倦。意思是他一说话大家都盯着他看，非常关注，让人忘记了疲劳，我们可以想象这是一个什么样的情形。

裴楷就凭借着他讲话"重且舒"，曾经刀下救人。这是怎么一回事呢？

中国古代的帝王都非常相信术数，这在今天看来是迷信，当时的人不会这么看。据《世说新语》记载，晋武帝登基之后，找了一个算卦的人给他算卦。这个人算出来一个字：一，一二三四的"一"。人家刚刚当皇帝，你算一个"万"多好？你就说人家能当一万年皇帝，干吗算个一？晋武帝一想：这个老小子，这不是说我只能当一年皇帝吗？觉得很不吉利，就开始翻脸，准备把这个算卦的给拖出去砍了。

晋武帝

　　(236—290) 即司马炎, 晋朝的建立者。司马昭长子, 司马昭死后四个月就代魏称帝。咸宁六年 (280) 灭吴, 统一全国, 可以说是三国分裂局面的终结者。不过, 司马炎本是继承司马懿、司马师、司马昭三代的基业而称帝的, 本身并不是英明之君, 江山稳固后便开始罢废州郡武装、大肆分封宗室、允许诸王自选长吏和按等置军, 且无法处理少数民族内迁问题, 为日后八王之乱与永嘉之乱埋下祸根。

　　这个时候, 群臣相顾失色, 都不知道该怎么办了, 怎么弄出这么一个结果? 裴楷正好在旁边, 他引用了何晏的《老子注》, 以非常凝重和舒缓的语气讲了三句话: 天得一以清, 地得一以宁, 侯王得一以为天下贞。天如果只有一个天, 当然天是清的了, 对不对? 如果天上出现两个天, 这边乌云遮日, 那边不要发生气流对撞吗? 地得一则宁, 如果地震了, 这块拱起来, 那块陷下去。侯王得到了一, 那是天下最大的根本, 根本就是一, 一是最吉利的。裴楷由于"重且舒"的咬字, 整个朝廷都听到了, 皆大欢喜。晋武帝一听, 算了, 重赏。那个算卦的本来要成刀下之鬼, 这一来得不救了, 还得了一笔赏金。

> 语言是人类最重要的交际工具, 是人与人之间沟通的桥梁。如果一个人吐字含混、咬字不清, 在生活中就会闹出各种各样的笑话来⋯⋯

　　反之, 如果说话不是"重且舒", 会闹出什么事来? 这在历史上也有, 只不过大家不太注意。历史上还有一个很有名的人,《太平广记》

里有记载，这个人叫侯思正（也有侯思止的说法），本来是个衙役，也就是衙门里面一个比较低级的办事人员。这个人的特点就是说话不讲究，没有受过很好的教育，吐字不清，咬字不正，但是他因为告发别人当了官，得到了武则天的重视。武则天有一段时间是鼓励大家告密的，这个人就当官了。他原来不是衙役出身吗？当官以后，武则天就命令他去审理案子。侯思正小人得志，所以一天比一天歹毒，他有一天去审讯一位忠臣，很高的一个官，叫魏元忠。审着审着，他又不着调了，怎么不着调呢？他不是吐字不清吗？说话也不懂得重且舒，很快，很急，他跟魏元忠讲：你赶紧去，要不呢？你就把……你赶紧去把，要不你就……就说了这么一句话，没完没了地说。可这句话没人听得懂啊，什么意思？

魏元忠明白，他这是说话太快。当然魏元忠不认罪，人家没罪，认什么罪？实际上他是想说你牛什么，你要真有本事嘴硬，去把白司马坡给背起来。在洛阳城旁边有个大山坡，叫白司马坡，但他说的就是轻且急，没有说清楚、说完整，别人听不懂。下面一句说：你要有本事，不然你把孟青给吃了。孟青是什么人呢？孟青是唐朝的一位很厉害的大将军，曾经拿着一个大棒子打死过人。所以他的意思是说：你嘴硬什么，你有本事把这个山坡给我背起来，你要再有本事把那个将军去吃了。但魏元忠听不明白：你莫名其妙地跟我说什么呢？就愣在那里。这下侯思正的态度更恶劣了，就拉着这位忠臣的两只脚

《太平广记》

宋代人编的一部大书。全书五百卷，目录十卷，取材于汉代至宋初的野史小说及释藏、道经等和以小说家为主的杂著。是宋代李昉、扈蒙等十二人奉宋太宗之命编纂的。这部书的编纂从太平兴国二年（977），耗时一年完成。因为成书于宋太平兴国年间，并和《太平御览》同时编纂，所以叫做《太平广记》。

在地上拖来拖去。最后把这个魏元忠给拖火了：你说话说得不清楚，我听不懂怎么回答你？你还来拖我。你别拖我了，算我倒霉，运气不好，好比是骑了一头恶驴被摔下来，可是我这个脚还挂在驴镫上，所以被你拖。

魏元忠说话倒是"重且舒"了，侯思正听得一清二楚，这下他更火了：你这是什么话，你敢辱骂我是恶驴啊？我立马把你杀了。

但是武则天刚好下了一道命令，什么命令呢？武则天不是信佛吗？所以禁止屠宰。这两天不能杀生。于是他又说了一堆乌七八糟的话，大家还是听不懂。旁边观看审判的官员就说这个人也太逗了，把情况向武则天作了汇报。武则天听了以后也大笑：怎么有这么一个人啊？这个连话都说不清楚的人还整天乱讲。后来这个侯思正结果非常惨，而且成为历史上的一个笑柄。所以说话太急、吐字不清楚，是一个非常要命的毛病。

《弟子规》在说完了孩子应该怎么咬字，怎么吐字，怎么舒缓凝重地说话以后，接下来又有四句话，而这四句话在今天则是我们不能完全照搬的话。

《弟子规》作为一本儒家启蒙教育读本，就是通过规范生活中的言行来塑造一个人的良好品格。但是这样一本几百年前的小册子，它并不是完全适用于今天的人，那么接下来《弟子规》会涉及什么内容，这些内容为什么不适用现代人呢？

"彼说长，此说短；不关己，莫闲管。"意思很明白了，在这世界上，每天发生的事情多了去了，有说长的，有说短的，只要是跟自己没关系的，你就不要去管闲事。我们必须准确理解这四句话，毫无疑问，这四句话里明摆着一种意思：那就是事不关己，高高挂起。各人自扫门前雪，莫管他人瓦上霜。或者说，只读圣贤书，莫闻窗外事。这种味道很浓，这是我们今天完全不能接受的。因为在今天，我们还是应该倡导主动去关心别人，应该倡导见义勇为。在社会上看到一些不好的事情、不恰当的事情，即便跟我自己没有直接的关系，也应该勇敢地站出来，这样的人是值得我们尊敬的，这种精神是值得我们去学习的。所以我们首先要把《弟子规》这四句话里边的这一层意思剔除掉。

同时，我们在读《弟子规》的时候也必须时刻牢记一点，《弟子规》主要针对的是未成年的孩子。这段话的本意，我想主要是希望孩子能够在以学习为主要任务的年龄阶段，集中精力，专心致志地学习，不要分心。

假如从这个角度去理解的话，那么《弟子规》这么说也是有一定道理的。所以对这四句话我们要辩证地理解。

《弟子规》在讲完了这些方面以后，对于孩子从小应该形成良好习惯，还提出一个很重要的概念，那就是在儒家文化当中，特别强调的榜样的力量。

《弟子规》要求孩子"见人善，即思齐；纵去远，以渐跻"。看到别人好的地方，你要即思齐，马上就下决心，要发这个愿，要有这个志向去赶上他。纵去远，即便相去还很远；以渐跻，你要立下一个长远的规划，逐渐地赶上他。

古代有部书叫《说苑》，里面就记载了这么个故事，非常有意思。有一位姓南的先生遇到一位姓程的先生，这位姓程的先生一看南先生来了，很高兴，就给他煮了一条鱼吃。煮了一条什么鱼呢？娃娃鱼。这在

《说苑》

　　西汉刘向撰。刘向，西汉时经学家、文学家、目录学家，曾领校秘书。本书就是他校书时根据皇家藏书和民间图籍，按类编辑的先秦至西汉的一些历史故事和传说，并夹有作者的议论，借题发挥儒家的政治思想和道德观念，带有一定的哲理性。

今天是绝对不允许的，娃娃鱼是国家保护动物，是不能吃的。这位南先生就说："吾闻君子不食鲵鱼。"意思是我听说君子不吃娃娃鱼。为什么君子不吃娃娃鱼？道理很简单，因为它叫娃娃鱼，叫起来声音像小孩哭一样，君子有恻隐之心，是不忍心吃的。那个程先生很愣：我好心好意给你逮条娃娃鱼煮好了，你还不吃。程先生就说："乃君子否，子何事焉？"怎么，你觉得你算君子？吃不吃娃娃鱼跟你有什么关系啊，君子跟你有什么关系啊？这个南先生讲："吾闻君子上比，所以广德也"，我还不是君子，但是我听说过怎么才能成为君子。君子跟我们一般人的区别在哪里呢？上比，他和比他强的人去比，我们一般人只会在物质生活方面有时候去跟比自己强的人比，但是君子不是，君子是比道德。在道德上比，所以广德也，君子的道德水准提高得很快。"下比，所以狭行也"，如果你往下比，就会越比路越窄。你看，我今天早晨懒得去上班了，九点上班，我睡到九点十分才起床，你看我办公室还有一个人，睡到九点半才起床呢。这就叫下比，会越比越糟糕，路就越行越窄。"比于善，自进之阶罢了"，如果我去追求善的，去把自己按照好的标准随时去对照、去努力的话，我自己就会进步得很快。"比于恶，自退之原也"，如果我经常跟不如我的人比，跟做得不好的人比，那我不是每天都在退步吗？"吾岂敢自以为君子哉？志向之而已"，我哪里敢自认为我是君子啊，只不过我内心向往做一个君子罢了。

古人也讲：高山仰止，景行行止。你看见一座高山，你会生敬仰之心；你看到一个很好的行为，你会去追随它。这都是在讲榜样的重要性。在古代，有很多人把见贤思齐作为自己的座右铭，时刻提醒自己，时刻要求自己。如果见贤思齐这句话能够在孩子们的脑海当中扎根。让孩子懂得应该不停地按一个比较高的标准去要求自己，用一个比较长远的学习规划去实现自己的志向，那么这个孩子将来就会取得比较大的成就。

> 别人身上的优点，值得我们学习；别人身上的缺点，是不是对我们就没有用处呢？《弟子规》告诉我们从他们的身上也能有所学。那么在比自己能力差的人身上能学到什么呢？

《弟子规》接着又写了四句："见人恶，即内省；有则改，无加警。"要求孩子做到，你如果发现别人有做得不好的地方，你如果看见别人的缺点，你要马上反省自己，你自己有没有？如果有的话，马上改掉，没有的话，你要提醒自己时刻警惕，不要犯同样的错误。

唐太宗就是这样的人，他很善于吸取别人成功的经验，但是他更善于汲取别人失败的教训。他为了提醒自己，不要重蹈隋炀帝骄奢淫逸的覆辙，他断然放火，焚烧了一座非常著名的楼阁——迷楼。这个故事是非常发人深省的。

可见，古人在这方面是高度警惕的，对于失败者，对于在他们前面被历史所淘汰的人物，他们非常注意总结教训。

孔子曾经说过："见贤思齐焉，见不贤而内自省也。"《弟子规》作为一本儒家启蒙教育读本，继承了孔子的这一思想。希望孩子们从小形成虚心的学习态度，认识到任何人身上都有我们值得学习的地方。那么，我们如何才能发现别人身上的优点？又应该怎样向他学习呢？

我们要见贤思齐。贤者有很多值得学习的地方。那么接下来的问题就来了，我们应该学习他什么？

《弟子规》的回答很清楚："惟德学，惟才艺；不如人，当自砺。"别的你别管，重点看看两个"惟"字，也就是说最重要的是德学和才艺，如果不如别人的话，你要自己奋发，下决心去学习。

清代有一个名医叫叶天士。有一次，一位上京应考的举人，经过苏州时觉得不舒服，就请叶天士去看。叶天士一看，就问他：你怎么了？那个举人说：我身上都挺好，没有哪里不舒服，但是我每天都口渴，我不停地想喝水，很长时间了。叶天士给他一检查说：我劝你别去赴考，你内热太重，得了消渴症，不出百天必不可救。再过一百天就完了，我也治不好你，你就别去考试了。这位举人一听，那么有名的大夫跟我说，我的命只有一百天了，他突然想通了。怎么想通了？我既然没有几天活头了，那我更应该去考试，博一个功名，也算是给自己和家里有个交代，所以他坚持去赴考。走到镇江，他碰到一个老和尚，老和尚也懂医术，一看就知道他得了消渴症。于是劝他：你有这病，没什么办法，但是你愿不愿意相信我？这个举子一听：这也没什么信不信，叶天士都说我命不过百天，那我就听你的。老和尚跟他说：你这样，每天就吃梨，口渴了你吃梨，饿了你也吃梨，坚持吃一百天。这个举子就真的坚持吃了一百天的梨，果然一路平安无事，而且一下考中了进士。等他回来的时候，衣锦还乡，碰到了叶天士。叶天士晕掉了，因为他是一个名医，说话都很灵验的，怎么看你得意洋洋、容光焕发地回来了？觉得很惊讶。这个举子就把自己的奇遇告诉了他。叶天士一听，哦，在镇江有这么一个和尚，他一定有过人之处。他就把自己打扮成一个乞丐，改名为张小三，跑到庙里要拜这个老和尚为师。每天起早摸黑，为这个老和尚挑水砍柴。老和尚一看这个小伙子很勤奋，很喜欢他，每当有人来找看病的时候他都带着这个张小三，让他在旁边看着。在那儿待了三年，叶天士把这个老和尚的医学都学到手了。这个老和尚就说：张小三，你跟了我三年，你现在可以回去了。凭你现在的医术，你已经超过江南的叶天士了。叶天士一听，立即下跪拜师：大师，我就是叶天士。

现在，我们在教育孩子的过程当中，最难的一件事情是什么？是教孩子学会虚心。现在的孩子，成长环境缺乏参照性，他生活在一个相对比较封闭的环境里，从小备受长辈的宠爱、夸奖、称赞、奖励，所以往往会比较清醒地认识到自己的长处。但是很多孩子却不容易看到自己不足的地方，更难虚心地承认别人比他强的地方。所以我们在教育孩子的时候，首先要让孩子意识到自己的不足。

你只有意识到自己有所欠缺，才会虚心地去学习。而学习什么？这是今天的教育当中特别麻烦的一个问题。我们现在社会上有一些不好的导向，就是对成功的片面理解。在很多家长的心目当中，让孩子学一样东西，将来可以找到一个很好的工作，工资很高，可以买很好的车子，可以买很大的房子，把成功等同于这种德、学、才、艺以外的东西，这一点是非常要命的。按照《弟子规》的要求，树立一个榜样，而在这个榜样的身上，主要就要学习德、学、才、艺这几个方面的长处。而别的，相比德、学、才、艺而言都是次要的，应该先放在一边的。

《弟子规》在强调了榜样的重要性以后，在明确地论述了如何向榜样学习以后，对孩子的教育还提出了哪些应该重视的方面？请大家听下一讲。

第十六讲　信之五

若衣服，若饮食；不如人，勿生戚①。

闻过怒，闻誉乐；损友②来，益友却③。

闻誉恐，闻过欣；直谅④士，渐相亲。

无心非，名⑤为错；有心非，名为恶。

过能改，归于无⑥；倘掩饰，增一辜⑦。

①戚（qī）：悲戚，忧伤。

②损友：对自己有害的朋友。

③却：退却，离去。

④直：正直。谅：诚信。孔子认为正直、诚信、见闻广博的人是三种有益的朋友，即益友。

⑤名：称作。

⑥归：回到。无：指没有过错。

⑦辜：罪，过错。

现代社会物质生活极其丰富，未成年的孩子攀比斗富的现象也是屡见不鲜。那么，如何才能正确地认识攀比？孩子之间，哪些方面是可以比的？哪些方面是不可以比的？《弟子规》又会给我们什么样的启示？

《弟子规》是一本儒家启蒙教育读本，在《弟子规》"信篇"中，不仅对孩子们说什么话，怎么说有明确的规定；而且对孩子们听什么话，怎么听也有明确的规定。比如当孩子听到表扬与赞美之词的时候。他应该怎么办？当孩子听到批评与责备之声的时候，他又该怎么办？如何把孩子培养成一个内心充满自信的人？

　　在前面一讲我们讲到，《弟子规》要求孩子们要注重品德学问，注重才能技艺。如此说来的话，当然是要进行比较。如果一个孩子从小没有和另外一个孩子比较的习惯，他怎么会知道自己哪方面比别人长，哪方面比别人短呢？

　　但是，《弟子规》对比什么，怎么比也很有讲究。接下来讲的主要就是这方面的内容。

　　"若衣服，若饮食；不如人，勿生戚。"换句话说，如果是衣服和饮食方面，你不如别人，穿得不如别人光鲜，吃的不如别人讲究，那不要去比，没什么好比的，更不要因此生气、不愉快。

　　大家千万不要以为《弟子规》讲的这些内容是微不足道的，现在这种问题非常严重。特别是在今天的一些小学和幼儿园，尤其是那些所谓的贵族小学和幼儿园，大家去看看，两个小孩子，在比自己家里的车子，比谁妈妈的包包更高级。而拎稍微差一点的包的那个妈妈，好像还觉得有点对不起自己的孩子，让自己的孩子丢脸了。这种教育是要命的。如果从小不知道防微杜渐，如果从小没有培养孩子养成一种好的习惯，该比的比，道德学问、技艺才能，你不如人家，你要赶上人家，要跟别人比；不该比的要坚决不比，比如衣、食、住、行，没有什么好比的，那就不去比。

为什么《弟子规》首先要强调若衣服、若饮食，你不要跟别人比呢？

衣服和饮食是人生活所需要的最根本的东西。假如在人生活最根本需要的这两件事情上，你能够安贫若素，能够从小学会不去计较，不要去和别人攀比，在别的方面，比如我们现代社会里的住房、汽车等等，慢慢你就不大会跟别人比。所以教育孩子要从最根本处着手。

中国古代是一个身份制社会，是一个等级社会，人的饮食和衣服是代表着你的身份和地位的。现在，哪个女孩子一高兴，我穿条红裙子，我穿上红的绣花鞋，又没有违法，也没妨碍交通，谁都管不着。但是古代不行，在古代必须是你的丈夫有功名，也就是秀才娘子，才可以穿红裙子，才可以穿红颜色的绣花鞋，如果不是读书人的太太，哪怕你是亿万富翁的夫人，也不敢穿的，这是规矩。

中国传统社会是一个官本位的社会，只有通过读书，或者通过军功，当官了，才可以穿绫罗绸缎。今天大家到王府井，随便买个丝绸穿上了，谁管你？没人管你。过去不行，如果不是当官人家，你只能穿棉布的东西，绝对不能穿丝绸的。所以《弟子规》里这样教育孩子是有深意的，像饮食、衣服、身份、社会地位这些东西，不要太在意，你只要努力向上就行。

有一个故事，我小时候还听说过，就是阮咸晒衣的故事。阮咸是西晋时期著名的文学家，小时候家里非常贫寒，吃的、穿的都很平常。我们知道，在魏晋的时候是很讲究的，那时候的男人出门是要扑粉的，非常讲究。但是，他安贫若素，在有钱人面前泰然自若，一点都不自卑。这样我们现在看起来似乎很简单，我很自尊。但是大家别忘了，在古代有一个习俗你很难躲过去的，什么习俗？就是每年农历的七月初七，都要晒衣服的，也叫晒箱子底。因为七月七日的太阳力量最大，杀菌的功能最好，所以要把家里的衣服拿出来晒一晒。但很多人家是不晒的，或者挑一些稍微像样的衣服拿出来晒一晒，怕丢脸。阮咸不是，非常坦然，家里有什么衣服，他就晒什么衣服，哪怕是一地的破衣服。别人都跑过来看，他也不在乎，很淡然。我不和你们比衣服，我和你们比才华。于是"阮咸晒衣"就成了千百年来中国人教育孩子的典故：不要因为你富贵就看不起人，不要因为你贫穷而感到自卑。重要的是，你是不是通过努力拥有了才华！

接下来，《弟子规》讲的又是我们现在教育孩子时，几乎束手无策的一个问题。就是如何从小培养孩子正确地面对批评。我们现在的孩子，集万千宠爱于一身，从小看惯了笑脸，从小听惯了夸奖，他们不知道应该怎样去面对批评。很多教师，很多家长，也觉得对孩子轻不得也重不得。我们现在提倡鼓励教育，提倡表扬性的教育，这是有道理的。但是，**我个人认为，任何事情总得有个度，我过去不相信，现在不相信，将来也不会相信，世界上会存在不需要批评的教育。**如果谁告诉我，教育只要表扬就可以了，只要正面夸奖就可以了，不需要批评，我就当他是痴人说梦。没有批评，怎么可能有教育呢？

> **阮咸**
>
> 西晋著名的文学家，陈留尉氏（今属河南）人，字仲容，阮籍之侄，与阮籍并称为"大小阮"。年轻的时候家里并不富裕，但他一点也不自卑。每年七月初七，各家都要把箱子中的衣服拿到太阳下面晾晒，阮咸也把自己的衣服晾出来，这些人见阮咸晾晒的衣服破旧不堪，都来观看。但阮咸一点也不在意，他认为，富贵不是可以夸耀的资本，贫寒也不是耻辱，人活着关键在于他的德行和学识。

表扬与赞美之词，人人都喜欢听；而批评与责备之声，无论是谁听到，心里都会有些不舒服。那么，怎样才能让孩子们从小就能正确地面对表扬与批评呢？

《弟子规》讲："闻过怒，闻誉乐；损友来，益友却。"假如一个小孩子一听到批评就暴跳如雷，就不高兴，就发怒，一听到夸奖表扬就高兴，如果从小养成了这种习惯，只听得进好话，听不进一些批评指正的意见。那么损友就会来了，益友就会却了，也就是说不好的朋友都来接近你了。好的朋友都躲着你。

这里没有更多需要解释的，只要我们搞清楚损友和益友这两个词就可以了。损友就是对自己有害的。那什么叫益友呢？就是对自己有益的朋友。哪些人是对自己有益的朋友呢？孩子从小应该交什么样的朋友呢？在《论语·季氏》里面对这个益友是有定义的。孔子曰："益者三友，损者三友。友直，友谅，友多闻，益矣。友便辟，友善柔，友便佞，损矣。"所以《弟子规》讲的损友和善友也是有权威出处的。

那么好，"友直，友谅，友多闻"。"友直"，这个朋友很正直；"友谅"，这个朋友很宽容；"友多闻"，这个朋友博学多才，知识面很广。这三种是好朋友。

学术界对《论语》这一段的解释有点不一致，大致起来说，以下这三类人就叫损友。第一，献媚、逢迎的人，老讨好你，每天都说你好，嘴上都捧你，好像你就是个完人一样。第二，两面三刀的人。当面说你好，什么都好，好到天上去，背后却说这小子不行，这小子不像话。这第三种就是花言巧语的人，这个我们就不用多解释了。这三类人都是不好的朋友。

古代有一个虢（guó）国，不是个大国，但也不见得是个很弱的国家，后来却灭亡了。为什么会灭亡？因为出现了一个整天只爱听好话，听不得反面意见的国君，所以他身边就围满了损友，那些阿谀奉承的、溜须拍马的、两面三刀的、花言巧语的小人，直到最后虢国要灭亡了。而那一群损友呢？他们不会陪着你死的。最后虢国的国君跟着一个车夫逃了出去。这个车夫赶着马车，载着虢国的国君逃到荒郊野外。这个国君又饿又渴，垂头丧气，车夫就赶紧取来车上的食品袋，里面有清酒，有肉脯（也就是肉干），还有一些干粮，让国君吃喝。国君酒足饭饱以后擦擦嘴，就来问这个车夫，你哪里弄来这些东西啊？这个车夫的回答是：国君，我事先准备好的。这个国君很奇怪：你怎么会事先准备好呢？这个车夫一看就不是损友，很朴实，不会花言巧语。车夫说：我是特意替大王您准备的，以备在逃亡的路上好充饥、好解渴。国王晕掉了，说：你早就知道我会有逃亡这一天啊？车夫说：是的，我早就估计到你有这一天。那国君要疯了：既然这样，你为什么不早点告诉我？你连我逃难的吃的都准备好了，你不提醒我？车夫说：您只喜欢听奉承的话，有别人提意见的话，哪怕再有道理，您也听不进去啊。我一个车夫，哪敢跟您提意见，您不但听不进去，恐怕咔嚓一刀就把我给剁了。要是这样的

> **虢国**
>
> 　　虢国是西周初期的重要诸侯封国。周武王灭商后，周文王的两个弟弟分别被封为虢国国君，虢仲封东虢，虢叔封西虢。西虢国位于现陕西宝鸡附近，后随周平王东迁至今河南陕县东南，地跨黄河两岸，河北称为北虢，河南称为南虢，实为一国，于公元前655年被晋国所灭。原地留有一小虢，公元前687年被秦国所灭。东虢国，西周初年所封诸侯国，位于现河南荥阳，公元前767年被郑国所灭。

话，您到了今天，连一个给您赶马车的人，给您准备水和食物的人都没有，所以我没告诉您啊。国君听到这里，脸都气紫了，指着那个车夫大骂：你这混蛋，早不告诉我。这个车夫一看，完了，这昏君都到这份儿上了，死到临头还不知悔改。车夫想想就说：行行行，大王息怒，大王息怒，我说错了。国君也离不开这个车夫了，两个人都不说话。过了一段，国君昏昏沉沉就靠着车夫的腿睡着了。车夫就把自己的腿慢慢挪开，在旁边找了一块石头垫在国君的脑袋下，自己一个人走了。后来这个国君在野外被野兽吃掉了。

大家看看，这就是听不进批评意见的人，周围都是损友，这样的人亡国、丧家，几乎是注定的。

> 《弟子规》用这十二字告诉我们，如果一个人听到批评就生气，听到表扬就欢喜，那么坏朋友就会来接近你，而真正的良朋益友反而会疏远退却了。那么当我们听到别人的夸奖时应该怎么办？当听到别人的批评时又该怎么办呢？《弟子规》是如何告诉我们的呢？

"闻誉恐，闻过欣；直谅士，渐相亲。"假如你听到别人赞美自己，就内心惶恐，别人表扬你：这孩子真聪明，了不起，将来一定要得诺贝尔奖，你就要想想我是不是真有那么大本事啊？我是不是还要更勤奋一点？这就是"闻誉恐"。"闻过欣"，假如有人对孩子说：这孩子晚上打游戏早晨不起床啊，你这个不对啊。如果孩子听到这样的批评，内心还很欣喜：是我不对，老师还愿意批评我，给我一个改正的机会。如果老师不批评我，那就是放弃对我的教育。这就对了。"直谅士，渐相亲。"

非常好的朋友，非常正直的朋友，就会慢慢会和你亲近起来，你周围的圈子就会是一个比较正直的圈子。

人的一生，谁能够保证不做错事，没有过失呢？问题是：

第一，你做了错事，有过失以后，能否改过？

第二，错和过失要有个度，过了这个度，就不是错和过失了，恐怕就是罪，就是恶了。

那么《弟子规》怎么说的呢？"无心非，名为错；有心非，名为恶。"意思很清楚了，"无心非"，你无心做了一件不对的事情，无意做的，这个叫错；"有心非"，你有意去做一件不对的事情，有意做的，提前策划好的，这个就是恶。这是《弟子规》的一个规定，是否有心，完全看你的心，看你的动机，看你原来的本意。当然这一点放在今天我们要强调，比如过失杀人，依然是犯罪。所以《弟子规》的这种理论要跟我们的现实生活区分开，要跟一些极端的情况区分开。

我们来看看《吕氏春秋》里的一个小故事。

宋国有个叫澄子的人，他丢了一件黑色的衣服，就到路上去寻找。看见远远来了一位女士，也穿了一件黑衣服，就拉住人家不放，要拿走人家的衣服，说今天我丢了一件黑衣服。那个被他拖住的女士晕了：您也许确实

《吕氏春秋》

《吕氏春秋》是战国末年（公元前 221 年前后）秦国丞相吕不韦组织属下门客集体编纂的杂家著作，又名《吕览》。这部著作融合儒、墨、法、兵众家长处，形成了包括政治、经济、哲学、道德、军事各方面的理论体系。吕不韦编此书的目的在于综合百家之长，总结历史经验教训，为秦国统治提供长久的治国方略。《吕氏春秋》经历了两千多年的光阴，是中华民族的一份珍贵遗产。

丢了一件衣服，但这件黑衣服是我自己做的，跟您那件没关系啊。澄子说：您赶快把衣服还给我，因为我丢了一件黑衣服，而你现在穿的也是一件黑衣服，何况我丢的是件夹衣，你穿的是件单衣，你还占便宜了呢。

这个故事说明什么？你本来不小心丢了一件衣服是无心非，只不过是个小小的错。你在路上看见远远地来了一个人，穿了一件黑衣服。你以为就是你丢的衣服，你上去问她要，还可以算无心非。但是等你抓住人家，抓住人家的衣服，人家告诉你这不是你的衣服，而且你自己也已经发现了，你原来的是夹衣，这件是单衣，你居然还去要，这就是恶，这就是有心非了，就是有意在做坏事情。

所以我们发现，有的时候。从无心非到有心非之间，这个转换。或者这个演变，是没有明确界限的，就是一念之差的事情。古人讲，一念之差，在这边是人，在那边可能就是禽兽。再往前走一步，你非要把这位妇女的衣服抢走，那你不仅是恶，你是犯罪了。所以这种细节上的转化从小就要让孩子们知道，在这种要害的关节上从小要养成好习惯。

人非圣贤，孰能无过？也就是说每个人都会犯错误。但是，当面对错误时，有的人勇于承认，而有的人却极力掩饰。尤其是未成年的孩子，他们为了逃避大人的责备，甚至撒谎。那么，如何让孩子正确地认识自己的错误？《弟子规》又是如何告诫我们的呢？

人难保不犯错，不犯过失，犯了以后，怎么办？

《弟子规》要求孩子从小学会"过能改，归于无；倘掩饰，增一辜"。如果你是过错，你如果能改，"归于无"，那就没事了。特别是对孩子来讲，假如你一不小心做了一件错事，打碎了一个碗啊，或者一不小心丢了一本书，你承认错误，以后注意，那就归于无了。没有人在乎的，因为孩子还小嘛，还有很多改过自新的机会，但你必须要做到知错就改。"倘掩饰，增一辜"，假如你不承认，你还花言巧语来辩驳，找借口，你就是在增加自己的过错。不仅不能归于无，还要双倍计算，这是《弟子规》的理论。

在好多电视台的法律节目里面，有的时候罪犯要接受电视记者的采访，来讲一讲你为什么要犯罪啊？你怎么会堕落到这一天啊？我们发现有相当一部分罪犯实际上是起源于从小撒谎，从小狡辩，从小找借口的。他小时候家教不好，长大以后就成了一个习惯。有的时候，撒了一句谎，骗了一样东西，而那个时候如果你改正的话还来得及，没有严重到犯罪的地步。但一句谎话千句补，你说了一句谎话，你得用一千句去补啊。比如咱们早晨睡过了，闹铃没有响，到单位领导很生气，你怎么迟到了？我们有的时候跟领导承认一下，尤其年轻人：对不起领导，我睡过了，下次一定改，缺的工作我加班补。没有一个领导会跟你在乎的。但是很多人不是啊，有的人要撒谎，瞎编乱造，找借口搪塞这个过错，结果怎么着？你的罪增加了一千倍，一句谎话千句补，到最后把自己折腾死。这个情况很多，我们必须时刻警惕才行。

到这里，《弟子规》的第五部分，也就是讲"信"的部分就结束了。

《弟子规》在这一部分，它的核心内容就是一个"信"字。希望孩子能够从小树立对"信"的正确认识，长大以后，这样的观念才能牢牢地扎根在他的生命当中，他的一切行为以诚信为准则，这对他未来的成长是非常有好处的。

《弟子规》即将开始的一个新部分又有哪些精彩内容呢？请大家听下一讲。

第十七讲 泛爱众之一

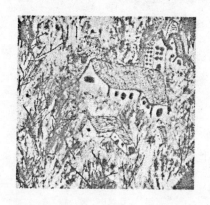

凡是人，皆须爱；天同覆①？地同载②。

行高者，名自高；人所重，非貌高③。

才大者，望自大；人所服，非言大④。

已有能，勿自私；人所能，勿轻訾⑤。

①天同覆：同在蓝天下。覆：遮盖。
②地同载：共立大地上。载，承载。以上两句指共同生活在一个世界上。
③貌高：指外表高大威严，仪表堂堂，好像正人君子。
④言大：自我吹嘘，夸夸其谈。
⑤轻：轻易，随便。訾（zǐ）：诋毁，说人坏话。

人最应该重视什么？是外在的容貌还是内在的修养？才华和名望又是什么样的关系？我们应该怎样看待自己和别人的才华？怎样才能成为一个被别人承认的、对社会有益的人呢？

《弟子规》在"泛爱众"的篇首，就提出了"凡是人，皆须爱"，那么，这种爱到底是哪种范围和意义的爱呢？我们又该怎么爱除了亲人朋友以外的人和世界？我们又该怎样做才能真正赢得别人的尊重？对那些不如自己或者比自己强的人，我们又该用怎样的心态来面对呢？

　　《弟子规》在讲完"信"这个部分以后，开始了一个非常重要的部分。这个部分就是"泛爱众"。我们现在讲解《弟子规》的时候，把它分成几个部分，其实《弟子规》本身并没有这个划分。

　　开篇就是非常感人的四句："凡是人，皆须爱；天同覆，地同载。"为什么说它感人？我们都是人类的一分子，共享一片蓝天，共居一块大地，难道我们不应该相互关爱吗？

　　我们都知道，中国传统文化的主流是儒家文化，而儒家的创立者孔子是将"仁"作为最高的道德和价值标准的。那么什么叫仁？我们经常讲仁义道德，这个仁，既复杂又简单。要说复杂，"仁"字在儒家典籍当中出现得实在太多，就一部《论语》而言，仁字的出现次数数以百计，比比皆是。简单来说，什么叫仁呢？仁者，人也，仁者，爱人也，你要去爱人。儒家也讲："苟志于仁矣，无恶也。"如果你立志要成为一个人，如果你立志要去爱人，那么你不会干什么坏事的，不会有恶的。如果这个世界上每一个人都这样，那就不会有恶的。可惜不是，这个世界上人的差别太大了。

　　我们一直说，儒家的爱是一种有差别的爱，我们叫等差之爱。比如讲，我们爱自己的父母，比爱自己的祖父母要多一点。我们爱祖父母比爱自己的曾祖父母要多一点。我爱自己的父亲，比爱我的叔叔、伯伯要多一点，我爱自己的妈妈，比爱我的阿姨要多一点，这叫等差之爱，是有点差别的。如果这么说的话，我们就不能理解这句话了，不能理解《弟子规》这句话了。"凡是人，皆须爱"，这是一种博爱。

问题在于，儒家的爱确实是一种等差之爱，但是儒家的爱也有博爱的成分，也有博爱的思想。中国传统文化当中有的学派就是高高标举起这种博爱思想的，比如墨家，讲兼爱，那就是讲博爱的。所以我们千万不要以为博爱是完全来自西方的。我们应该清醒地认识到，博爱也有中国传统的源头。我们今天在讲到《弟子规》这部分的时候，特别要提请大家注意的是，**中国的传统文化尽管强调人是万物之灵，但是对于与人类共同生活在同一个天地下的万物，也是强调要有爱心的。所以中国文化的最高境界是天人合一。**中国的传统文化不大强调征服自然。我们虽然有人定胜天这样的话，但传统的主流是强调天人合一的。我们知道，西方的文明和东方的文明有区别，这是非常复杂的问题。但是西方的文明就非常强调人要征服自然，征服大海，征服高山，把地底下的资源挖出来，为人类所用，这样做的后果大家已经看到了。当然不是说这么做没有积极的一面，它是有好处的，如果没有对自然的开发和利用，我们人类社会不会发展到今天。但是我们特别要注意，儒家这种爱的精义，除了爱人还有别的万物，我们也都要爱。这在环境保护已经成为人类共识的今天，是特别重要的。

爱人的故事我不想跟大家讲，我只想跟大家讲爱动物的故事。而由一个人对待动物的态度，我们可以看到这个人身上体现出来的某种东西，怎么被别人认同。鲁国有一个国君去打猎，打到了一只小鹿，他就派一个姓秦的臣子把这只小鹿带回去，准备晚上杀了吃。这位姓秦的臣子走在路上。发现有一只母鹿一直跟着他，而且不停地在叫。这位秦先生不忍心，他想：我们国君抓到的这只小鹿大概是这头母鹿的孩子吧。他就把这只小鹿给放了。这位国君打完猎回来，就问这位姓秦的臣子：我的鹿呢？这位秦先生说：路上有一只母鹿一直跟在后面啼叫，我实在不忍心，所以我就私自把小鹿给放了，让它跟着自己的妈妈走了。国君当然很生气了：我辛辛苦苦打了一天猎，本来满怀欣喜地准备回来享受我的猎物。你竟然把我的猎物给放了。国君随即就把这位秦先生赶出了鲁国。

一年以后，鲁国的国君想给自己的儿子找一位老师，这个时候他又想到了一年前被他赶走的秦先生，就派人恭恭敬敬把他请回来。身边的人看不懂了，就问这个国君：大王，这个人不是原来得罪过您吗？私自把您的猎物给放走了，怎么您现在又请他回来当公子的老师？这是什么道理啊？这位国君很聪明。他说：这个人连一只小鹿都不忍心杀死，何况是对人呢？请这样一个心里充满爱的人来教我的儿子我才放心啊。国君是通过秦先生对一个动物的爱看到了他对万物的爱，他希望自己的孩子将来能够成为一位理想的国君，能够爱人民，能够爱万物，因此他把自己的儿子交给这个当年得罪过自己的臣子来教育。

《弟子规》要求我们要怀有一颗仁爱之心，不仅是对自己的亲人，对天地万物都应该如此，这样的仁爱之人才是真正的仁者。那么接下来《弟子规》说的"行高者，名自高；人所重，非貌高"，又给我们提出了一个问题，人最应该重视什么？究竟是外在的容貌还是内在的修养，在竞争日益激烈的今天怎样才能让我们的孩子成为一个真正成功的人呢？

人最应该重视什么？究竟是外表还是内在？别人最终是通过什么来

评价自己的？究竟是外表还是内在？《弟子规》有明确的意见。我们现在都习惯把孩子打扮得漂漂亮亮，让孩子学唱歌、学跳舞、学外语、学乐器，这当然非常好。问题在于，我们是否也对孩子的内在给予了足够的重视呢？

《弟子规》接着讲，"行高者，名自高；人所重，非貌高"，这里讲的就是内在的德行和外在的容貌之间的关系。正如《弟子规》里所说，"行高者，名自高"。你只要德行高，你的名声自然就会高，这是更注重内在的东西。

有一个非常有名的故事，叫做晏婴使楚，说的就是这个道理。齐王要派一个人出使楚国，挑来选去，最后派了长得非常矮，长相普通，甚至有些猥琐的晏婴去。楚王一看，齐王怎么派这么一个人来啊？就准备侮辱一下晏婴，在城墙下面开了一个非常小的门，规定他只能从这个地方进来。晏婴不卑不亢地说：这哪里是人走的

> **晏婴**
> 　　字仲平，又称晏子，夷维（今山东高密）人，是春秋后期一位重要的政治家、思想家、外交家，以生活节俭、谦恭下士著称。孔子曾赞曰："救民百姓而不夸，行补三君而不有，晏子果君子也！"

门啊？这是狗洞啊！如果我访问的是狗国，那我就走狗洞。楚王一听，那我们楚国不就成了狗国了吗？只好打开大门请晏婴进去。楚王见到晏婴之后就说：齐国没人了啊，怎么把你给派来了？晏婴的回答更妙：我们齐国派使节有一个规矩，上等的国家派上等的人去，我在齐国最不中用，所以就派我到楚国来了。楚王一听，对晏婴肃然起敬。

过去我们讲，人不可貌相，既然人不可貌相，那么要凭什么去观察人、判断人、认定人呢？最重要的是关注他的内在，这样的故事在历史上还有很多。

春秋时期，鲁国有一个大夫，他的姓很怪，但是在历史上曾经很有名，姓哀。传说中，这位哀大夫相貌丑陋无比，而且别人有的外貌缺点他都有，集人类丑之大成。他不仅丑陋，而且还驼背，还是瘸子，就这么一个什么怪毛病都有的人。鲁哀公很好奇，怎么会有这么一个人啊？他就把以丑出名的哀大夫给叫过来，一看，以恶害天下。就是以他这种长相之丑恶，让天下都害怕，就像《巴黎圣母院》里面的卡西莫多。但是鲁哀公还是比较厉害，并没有嫌弃他，反而把国政交给他，把管理国家的重任交给他。结果在这位哀大夫的治理下，鲁国四个月政教大兴，社会风气大大改观。我想，鲁哀公开始大概是出于好玩儿任用他，后来他自己想不明白了：我任命这么一个丑八怪管国家，却管得这么好。他就去问孔子：有这么一个人，奇丑无比，但是这个人很奇怪，男人和他相处，就舍不得跟他分开，大家都愿意跟他交朋友；女人见到他，扭头就向自己的父母提出要求，与其做别人的妻子，不如做哀先生的妾。我把他召来看过，真的相貌丑陋，一丑动天下。他跟我相处不长，我就很了解他，并且信任他了，所以把国事委托给他。他很淡然，好像并不当回事。现在他把国家治理得很好，但是又走了，我内心就像失去了什么，很不愉快。请问孔老夫子，这是一种什么样的人啊？

孔子的回答非常有意思：有一次我到楚国去，看见一群小猪正在吮吸母猪的乳汁，而母猪躺在地上。我正在旁边观看，忽然，这群小猪一下子全跑开了，我才发现，原来这头母猪已经死了。所以，我悟出一个道理，小猪爱它们的母亲，爱的不只是形体，而是支配这个形体的精神。如果爱形体的话，形体又没变嘛，这母猪还躺着，刚死啊，但是它的精神已经不在了。按照古人的说法，死了以后魂魄就没有了。战死沙场的人，埋葬他的时候一般无须在棺材上面加什么装饰，战死的人不在乎这个，砍掉了脚的人也没有理由去珍惜原来的鞋子，因为他们都失去了根本。所以孔子强调的是人要重根本。什么是根本？内在的才是最根本的。

> 《弟子规》说一个人的名望不是靠自我的标榜获得的，而接下来的这个故事告诉我们即使是一个真正有才华的人也要做到非言大，因为自我膨胀的言大者是不可能获得别人尊重的，而这个故事的主人公，竟然是诗圣杜甫的爷爷。

过去强调孩子一定要好好读书，万般皆下品，惟有读书高。这个话今天可能要具体情况具体分析，但是古人要传达的精神是什么？你的财富也好，官位也好，容貌也好，所有东西最后都会离开你。只有一样东西不会离开你，那就是你内在的才学、品德，它永远不会离开你的，别人想夺也夺不走。所以古人一直强调孩子从小要努力学习，要德艺双修。"才大者，望自大；人所服，非言大"，意思就是说，要别人信服你，靠的不是说大话、吹牛，否则别人不仅不会信服，你还可能惹祸上身。而"才大者，望自大"，你真正有才华，你的名望自然就会大起来。

我给大家讲一个人，谁呢？杜甫大家都知道，我要讲的是他的爷爷杜审言。杜审言非常有才华，他的才华不一定比他的孙子杜甫差。但是问题就在于，这个人才大话也大，不够低调，可以说是历史上不低调的标兵。他当时和另外三个人合称为"文章四友"，四个人都非常会写文章。唐朝的进士很难考，而杜审言二十多岁就成了进士，所以他非常有才华，武则天也非常欣赏他的诗文。根据《新唐书·杜审言传》的记载，"恃才高，以傲世见疾。"什么意思，他自恃才华超人，所以把谁都不瞧在眼里，还经常说大话，遭人嫉恨。有一次，跟他齐名的文章四友的另一个才子苏味道写了一道判词，就好比咱们今天法院的布告、判决书之类的。这篇文章其实写得很好，但是杜审言觉得自己才大，心里很不爽，看一眼之后就说味道必死，就是苏味道一定要死。别人一听吓坏了，说不会啊，苏先生身体很好，他怎么会死呢？杜审言讲："彼见吾判，且羞死。"那是因为我没写，如果我写了这判词，让苏味道看见了，他会羞死的。这口气够大吧，真的是语不惊人死不休。

他经常跟人家说："吾文章当得屈、宋作衙官，吾笔当得王羲之北面。"我的文章写得好啊，好到什么地步？好比我是官，屈原、宋玉得在旁边站着，只能做我的部下；我的字写得好啊，好到什么地步？王羲之看到我都得磕头。

后来，他生病了，很多人都去看他。临死前他还说了一句大话，"甚为造化小儿相苦，尚何言？"就好像我们今天讲的，我在这个世界上混得不好，主要是运气不好，我也不想说什么了。这还没完？最后还不甘心说了一句大话，"然吾在，久压公等，今且死，固大慰，但恨不见替人。"他说我想想，我在这个世界上运气不好，我也不大想活，也没什么意思，我活在这里把你们给"压"死了，你们没法出头，我太厉害了，我现在死吧，对你们也是一个安慰，只不过我不甘心啊。为什么不甘心？没有人能够接我的班啊！

王羲之

东晋书法家，字逸少，号澹斋，祖籍琅玡临沂（今属山东），后迁会稽（今浙江绍兴），晚年隐居剡县金庭，是我国著名书法家，有"书圣"之称，代表作《兰亭集序》。

这样的人在历史上的名声当然不如杜甫了，实际上他才华也很高，但是他说话做事太过分。所以我特别建议大家读一读周敦颐的《爱莲说》，"出淤泥而不染"，这一段大家都很熟悉，君子就应该像莲花一样，只要你真的像莲花一样出淤泥而不染，你就会有"香远益清"。只要你有真才实学，你真的品德高尚，那么你即使低调一点别人也会知道的。这是《弟子规》要孩子从小养成的一个好习惯——谦虚。

> 我们应该怎么去看待自己和别人的才能？假如别人的才能超过了自己，我们应该以一种什么样的态度和心态去面对？？《弟子规》讲："己有能，勿自私；人有能，勿轻訾。"自己有才华有能力，不要自私，看到别人有才华有能力，你不要去贬低诋毁。可是这简简单单的十二个字，遇到具体的事情我们又该如何去做呢？

接下来的问题是，你自己谦虚了，你怎么去看待自己和别人的才能？假如别人有才能，你应该以一种什么样的态度和心态去面对？《弟子规》讲："己有能，勿自私；人有能，勿轻訾。"你自己有才华不要自私，别人如果有才华，你不要去诋毁。这个意思大家都明白，但是放到现实当中，却没有几个脂邕真正做到。这个"己有能，勿自私"大概是比较容易做得到的。自己有才华，你不要自私，让大家知道，现在很容易做到，电视上有很多才艺秀，就是让你去表现自己。但是现在有很多人没什么才华，却以为自己有才华。这个问题比较严重。在今天，真正难做到的是"人有能，勿轻訾"。别人有才华，你不要去贬低他，不要去诋毁他。现在有一种现象非常不好：笑人无，恨人有。你没有，我取笑你，我看不起你；你要有了，我会嫉恨你。两个同学考试，我考了九十分，你考了八十五分，我瞧不起你，这也叫笑人无，是不应该的。如果我考了九十分，你考了九十五分，我恨得要死，咬牙切齿，这种心态也是不健康的。《论语》里讲，"夫仁者，己欲立而立人，己欲达而达人。"你自己想有所成就的话，也应该让别人有所成就；你自己想闻名天下。想发达的话，你也应该让别人发达。你不能只允许自己有好事，不允许别人有好事。

春秋的时候，晋悼公向自己的大夫祁黄羊请教，说你看看谁能够去管理南阳啊。祁黄羊回答：解狐。晋悼公觉得很奇怪：解狐不是你的仇人吗？你怎么推荐他啊。祁黄羊说：国君，您问的是谁能够去管理这个地方，您没有问我的仇人是谁啊。这是什么样的胸怀？不久，晋悼公又去问祁黄羊：现在军队缺个头，我要找一个人来管理军队，你看谁行？祁黄羊说：祁午啊。晋悼公又晕了：祁午不是你的儿子吗？祁黄羊说：对啊，您问我谁能当军事长官啊，没问我谁是我儿子啊。心胸坦荡。前面一个叫什么？叫"人有能，勿轻訾"。哪怕是自己的仇人，他有某方面的才能你就不应该去贬低诋毁，而应该实事求是地去看待。"己有能，勿自私"，虽然不是他自己，但也是他自己的儿子吧，他自己的儿子有军事才能，也不必自私，你可以大大方方地推荐他。这种心胸是非常非常难得的。

祁黄羊

名祁奚，黄羊是他的字。春秋时晋国大夫。因举荐仇人解狐和他自己的儿子祁午，时人称为"外举不避仇，内举不避亲"。

> 我们今天也会有这样的看法，对那些有真才实学的人，我们会钦佩，但是对别人一些看起来微不足道的才能，很多人可能会不屑一顾或者嗤之以鼻。下面这个故事告诉我们，不论多么微不足道的能力，都有可能成为决定成败的关键。那么，这又是一个怎样有趣的故事呢？

《庄子》里边有一个故事，但这个故事，后来被人演绎了，和原文不尽相符。我们知道在春秋百家争鸣的时候，有一个很有名的人叫公孙龙。公孙龙很有学问，手下有好多弟子，每一个人都有自己的特长和本领。有一次，公孙龙在赵国的时候跟他的弟子说：我作为你们的老师，只喜欢有本领的人，没有本领的人，我看都不要看，我不喜欢。这时候，有一个人就跑来求见，公孙龙一看这个人相貌平平，就问：我不结交没有本事的人啊，请问您有什么本事？那个人说：先生，大本事我没有，但是我有一副好嗓门，声音特别大，哪怕距离很远，别人也能听得见，一般人没这个本事。公孙龙回头一看，就问自己的弟子：你们中间有没有声音比他大的啊？弟子们争相回答：我们的声音都很大，我们都是大嗓门。然后都斜着眼睛，很轻蔑地看着他。公孙龙就说：那你们比试比试。众弟子推举一个嗓门最大的人，和那个人一起往前走了五百步，到了一个小山坡背后，然后朝公孙龙那边喊话，结果只有那个人的声音能听得到，那个嗓门最大的弟子的声音一点都听不到，于是公孙龙就把这个人收为自己的弟子。其他弟子心里很不爽，就经常欺负他。而且很多人在旁边讲：嗓子好算什么本事啊？我们老师是一个斯文人，又不需要人帮他吵架。这就是一种典型的"笑人无，恨人有"的心态。

过了不久，公孙龙到燕国去见燕王，他带着一大群弟子上了路。没走多久碰到一条非常宽的大河，河面很宽。公孙龙他们这边没有船，远远地看见对岸有一条船，而且船夫正好蹲在船上闲着。公孙龙就让人把他新收的那个徒弟叫来，然后说：你帮我把那船给叫过来。那个被大家瞧不起的大嗓门一喊，声如洪钟，直达对岸，艄公立马站起来，将船划了过来。公孙龙一行上了船，一点都没有耽误跟燕王的见面。我们知道春秋时候，这些人见国君是非常重要的事情，是寻找为国君服务的机会，也就是当官的机会，他如果找不到机会，那群弟子都要跟着他饿肚子的。孔门弟子不也经常这样吗？孔子落难的时候身边的弟子也饿啊！到这个时候，那些原来"笑人无，恨人有"的弟子才认识到，这位新来的学友的一副大嗓子还真的有用。

我们应该尊重别人的才能。哪怕这种才能表面上看起来是多么的微不足道。千万不要把自己的才能看得太重。而对别人的才艺不屑一顾。

现在的孩子因为从小就生活在一个相对比较封闭的家庭环境里，大多都是独生子女，在家里唯我独尊，对自己的才能和优点认识得非常充分，但是对自己的同学，对自己的伙伴，往往不够尊重，对别人的长处认识不足。如果一个孩子从小没有养成客观公正地去认识、评价、尊重别人才能的习惯，这个孩子进入社会以后，就很难交到很好的朋友，很难融入一个团队，很难得到别人的认可和尊重。

《弟子规》在讲完了这些部分以后，又着重讲了孩子教育方面的很多问题。《弟子规》希望孩子们从小能够从很多小的地方，从细节之处，也是最根本之处形成良好的习惯。

《弟子规》是怎么论述这方面的要求的？请大家听下一讲。

第十八讲　泛爱众之二

勿谄富，勿骄贫；勿厌故，勿喜新。

人不闲，勿事搅；人不安，勿话扰。

人有短，切莫揭；人有私，切莫说。

道人善，即是善；人知之，愈思勉。

扬人恶，即是恶；疾之甚，祸且作。

善相劝，德皆建；过不规，道两亏。

①疾：痛恨。

②德皆建：指双方道德都可建立。

③规：规劝。

④亏：亏欠，缺失。

　　我们生活在社会之中，与各种各样的人打交道一直都是我们必须面对的事情，那么在与人交往的时候，我们应该抱有什么样的态度呢？面对善恶，《弟子规》甚至给我们提出了两种不同的处理方法，那么这些看起来有些自相矛盾的观点，我们又该如何取舍呢？

在日常生活中，如何与人交往是一个再普通不过却又大有学问的问题，从家人到朋友到同事，甚至是只有一面之交的人，面对形形色色的人，我们在和他们打交道的时候该遵循一个什么样的原则呢？对这些问题，《弟子规》都一一给出了答案。然而，是不是我们按照《弟子规》的要求去做，就真的万无一失了呢？《弟子规》中还出现了一个前后矛盾的地方，这又是怎么回事呢？

不可否认，在中国的历史上，我们可以发现很多嫌贫爱富、喜新厌旧的人，他们被称作势利小人，是和君子相对的，为君子所不齿。这样的小人很多，一直为中国传统文化的主流所反对。《弟子规》希望每一个孩子从小经过教育，通过向榜样的学习，长大以后能够成为一个君子，不要成为一个小人。所以，《弟子规》这样教育孩子："勿谄富，勿骄贫；勿厌故，勿喜新。"意思是说，你不要看到人家有钱就去讨好他，献媚于这种财富；你也不要因为看到别人贫穷就瞧不起他，自己很骄傲。你不要因为一样东西旧了或者过时了，你就去厌弃它；你也不要因为一样东西是新的或者是流行的，你就去喜欢它。

宋国有一个姓曹的人出使秦国，宋国国君就送给他几辆马车。这个人到了秦国以后，把秦国国君哄得很高兴，又被加赐了一百辆马车。然后，这个姓曹的人回到宋国，碰到了庄子，就跟庄子说：哎，我原来住在这种非常偏僻、狭隘的巷子里，我原来穷啊，买不起鞋，所以我得自己打草鞋。我原来穷啊，吃不饱饭，所以我的脖子干瘪，面黄肌瘦，这是我不如别人的地方。但是你看我，今天牛吧，我一旦有机会，我就从大国的国君那里一下子拿到了一百辆车的赏赐，这难道不是我比别人强的地方吗？庄子看不起这种小人，心想：你原来有几辆车子，现在有一百辆车子，你就觉得自己很牛了？庄子就说：我听说过一件事，秦国国君生病的时候，就去召集天下名医给他看病，如果有人可以把他身上的一个脓包或者一个疖子的脓给挤出来的话，他就赏这个人一辆马车。假如有一个人去舔他的痔疮，就立马赏车五辆（古人当中有一种观念，认为痔疮之所以不容易治好，是因为没有人去舔）。凡是治疗的部位越上不了台面，赏的车辆就越多。你最起码给秦王舔过痔疮吧？不然怎么有那么多车子呢？庄子瞧不起这种势利小人，中国的传统也瞧不起这种势利小人，不是因为你今天车子多了，你今天发达了，我瞧不起你，而是因为你羡富嫌贫。我们可以为你高兴，但是你没必要显摆，庄子看见显摆的人就很愤怒。

庄子

（约前369-前286）战国时哲学家。名周。宋国蒙（今河南商丘东北）人。做过蒙地方的漆园吏。庄子继承和发展老子"道法自然"的观点，认为"道"是无限的、"自本自根"、"无所不在"的，强调事物的自生自化，否认有神在主宰，但又认为道能"神鬼神帝，生天生地"。其思想包含朴素辩证法因素。庄子的哲学思想达到了很高的思维水平，对后世影响很大。其文汪洋恣肆，想象丰富，著作有《庄子》。

现代社会飞速发展，随着财富的增加，我们的幸福指数却在降低，如果我们能做到《弟子规》说的"勿谄富，勿骄贫"，也许我们的快乐会多些，烦恼会少些。那么接下来的这句"勿厌故，勿喜新"，对于它的字面意思我们都能理解，但是在今天，这句话还适用吗？我们又该怎样理解它的真正含义呢？

　　至于"勿厌故，勿喜新"的道理也是很明白的。最近这几年，社会飞速发展，我们的现代化事业推进得很顺利，但同时我们开始怀旧，社会上出现了一股怀旧的风潮。比如，北京现在有很多高楼大厦，原来没有这么多高楼大厦的时候，大家不怎么怀旧，有了高楼大厦，大家又扭头去找四合院了；住进了楼房，三居室、四居室的，却突然留恋起住大杂院的时候，有了一股怀旧的情绪。怀旧给人的感觉是什么？如果一个人很怀旧，你会怎么认识这个人？**我个人很愿意交一个有怀旧情怀的朋友。为什么？因为他不厌旧、不厌故，因为他感恩。所有怀旧的人心中都有一种特殊的感恩的情怀。感恩当然是一种非常高尚的情操，我们当然愿意去交往。**讲到喜新厌旧，基本上是讲陈世美了，基本上是指夫妻之间的关系。在过去，喜新厌旧并不专指夫妻关系，泛指一切事物。民间戏曲中的陈世美。慢慢地把我们关于喜新厌旧的这样一个概念定格在男女关系上，定格在夫妻关系上，这是我们要注意的。

　　如果一个人真正能够达到《弟子规》所要求的"勿厌故，勿喜新"这样一种道德水准，或者这样一种做人境界的话，那么他就会受到他人的尊敬和赞赏。

　　宋弘是东汉时的司空，一个职位非常高的官，非常有名，第一是由于他很有才华，第二是他相貌堂堂。但是，他不知道自己被一个人给盯上了，更不知道盯上他的是一位女士，他更更不知道，这位女士居然是皇帝的姐姐。光武帝刘秀的姐姐就是湖阳公主，她一直在注意宋弘。这时恰逢湖阳公主的老公死了。公主丧偶再嫁，在汉朝时还没有像宋朝、明朝以后那样受到严格约束，所以作为弟弟，光武帝很关心自己的姐姐，准备为她找一个后姐夫，于是就去探探她的口气：您看满朝文武，这个人怎么样？那个人怎么样？一个一个数。湖阳公主多聪明的人啊！她又不好意思对弟弟说：我就喜欢那个，你把他给我搞定。但是她心里是有人的，所以她就对弟弟说：宋公（就是宋弘）容貌威严，而且非常有大德，我看朝廷里的臣子没有一个赶得上他的。光武帝听湖阳公主说了这么一段话后。心里已经明白了，然后他就去找宋弘，打算把他发展为后姐夫。但宋弘有老婆啊。光武帝就做他的思想工作，就说：俗话说，做了官以后，你就可以把贫贱时候的朋友给换掉了，地位不一样了，贫贱之交可以不要了。有了钱，你就可以把你穷苦时候的妻子给换了。人情难道不是这样的吗？这时宋弘说了一句流传至今的千古名言，他说："臣闻贫贱之交不可忘，糟糠之妻不下堂。"（《后汉书·宋弘传》）这句话就是在这个背景下说的。光武帝听了以后一下明白了，回去就跟自己的姐姐说：这件事情还是算了吧，您琢磨别人去吧，搞不定那人。后来这个人就被记在史籍当中流传了下来。他的这种道德水准和操守非常高。

> 《弟子规》告诉我们在别人很忙或者心情不好的时候，不能去打搅他们。可是这件看起来再简单不过的事情，我们都做到了吗？反之，如果我们不这样做，又会带来怎样严重的后果呢？

《弟子规》接下去说："人不闲，勿事搅；人不安，勿话扰。"人家忙着呢，没有空，你就别去打扰人家。人家心神不宁，或者人家有点别的事，你就别去横插一杠子，要尊重别人。这个说起来很简单，但是我们扪心自问，我们做到没有？实际上做到不容易。比如，我们接电话时很少听到这么一句话：您现在方便接电话吗？我们在打算和别人说话或者有事情找别人的时候，最好看看情况，留意一下别人的状态。多问一句不会有错的，这里边体现出对别人的尊重和体谅，也体现出自己的修养。

父母一般都不太注意孩子打电话。你是不是应该教孩子说：孩子。你如果打电话给别人，要先问问接电话的人，您现在方便吗？让他从小养成这个习惯，对孩子终身有益。而且，如果你完全不分场合地唠唠叨叨的话，有的时候好心还没好报。

魏明帝

（205－239）即曹叡。字元仲，沛国谯县（今安徽亳州）人。曹丕之子，曹操之孙，能诗文，与曹操、曹丕并称魏之"三祖"，但文学成就不及操、丕，为后人留有散文二卷、乐府诗十余首。

三国时，魏明帝最疼爱的一个闺女死了，魏明帝很悲痛，决定厚葬女儿，并且表示要亲自送葬。这时有一位姓杨的大臣进谏说：皇上，不妥，过去先皇和太后去世的时候，您都没有亲自去送葬，而现在女儿死了，您却要亲自去，这个与礼法不合。照道理说，这位大臣说得没有错，这是符合当时社会的礼仪要求的。但是，问题在于他没有看场合，当时魏明帝已经很悲痛了，你找一个机会提醒他可以，但你不要翻来覆去地顶着他说。最终魏明帝不仅没有听进去他的意见，还把他赶出了朝廷。这就是好心没好报，实际上完全没必要这样。

当众揭别人的短处，肯定是一种不好的行为。那么究竟什么样的行为才算是揭短，难道别人的缺点我们不能帮助他们指出来吗？如呆大家都不说，我们又从何得知自己的缺点呢？这样我们也就无从改进，不是更加不对了吗？

《弟子规》讲："人有短，切莫揭；人有私，切莫说。"这里的"短"有两层意思：一是别人外在的短，如形体、体态、相貌。有熟人跟我开玩笑说：文忠，怎么一过春节你又胖了？然后叫我站好了、低头，问我看得着自己的脚尖吗？这就叫揭短。其实，你没必要跟我说，尤其是当着很多人的面。还有，比如有些人身材比例不太好，你说：哎哟，你什么都好，就是腿短。这个是外在的短，你也不能去揭，因为大家都是人，没有完美的。还有一种短是指别人的不恰当的行为，"短"就是做了一些不好的事，《弟子规》也不赞成揭。所谓揭，就是在公众场合讲。揭短揭短，不是说我单独跟你说，好心提醒，那不叫揭短。

上海世博会有一道礼仪题，我发现很多人不会做。问题是：当你是世博会的工作人员，你突然看见前面过来一位男士，他关键部位的拉链没拉好，你怎么处理？你绝对不能拿着喇叭说：喂，这位先生，校门开了，这个就叫揭短。而你悄悄地过去说：这位先生，您拉链没拉好，这个就不叫揭短。所以，揭是指在公开场合讲。至于隐私，自然不应该去打听，更不应该去传播。

最近一段时间，我们可以看到网络上经常有人把他人的一些隐私照片，甚至一些视频挂上去，这是非常不道德的行为。在中国传统中，这种行为几乎被视作非人的行径。而在今天涉及他人隐私的时候，我们的处理态度要比传统更慎重。为什么？因为在传统当中，就我所知，你去揭别人的隐私，一般不牵涉到犯罪，只不过说你这个人教养不好、品行不行。但今天如果你把别人的隐私公之于众，就有可能受到法律制裁。现在社会上很多不和谐事件的起源，几乎都是因为乱揭别人的隐私，我们都很乐意看到这些胡说八道的人被法律制裁。

> 虽然《弟子规》说不要揭别人的短，也不要去说别人的隐私，但是对于别人的善和别人做的好事，却告诉我们要尽可能地去宣扬，那么这样做究竟会有什么好处呢？

《中庸》

　　儒家经典之一。原是《礼记》中的一篇。相传战国时子思作。内容肯定"中庸"是道德行为的最高标准，并提出"诚者不勉而中，不思而得，从容中道，圣人也"，把"诚"看成是世界的本体，认为"至诚"则达到人生的最高境界。并提出"博学之，审问之，慎思之，明辨之，笃行之"的学习过程和认识方法。宋代从《礼记》中把它抽出，与《大学》、《论语》、《孟子》合为"四书"。

　　这里讲的还是短和私的问题，再深入一点说，就是善和恶的问题。如果到了这个层面上，儒家的主张是非常清楚的，《中庸》就讲："隐恶而扬善。"意思是别人的恶不要去说，别人好的地方你要拼命地表扬。要给他宣扬。

　　《弟子规》讲："道人善，即是善；人知之，愈思勉。"你称道别人的善，本身就是善。比如，你哪天在河边散步，突然看见一个孩子不小心落水了，这个时候旁边有人跳下水去把孩子救起来，你并没有跳下水去救，但是你到处说有一位见义勇为的人，不怕牺牲。抢救了孩子。你去宣扬这个善，那么你本身也是在行善。这个就叫"道人善，即是善；人知之，愈思勉"。如果有一个人很偶然地做了一件好事、小事。你经常去宣扬的话，这个人知道了，他会不断地勉励自己，今后会做更多的好事。如果他第一次做好事是无意识的，后来因为你的宣扬，让他变成有意识地去做好事了。这不就是大家在共同行善吗？

我们都知道，李白的外号很多，但有一个外号最妙，叫谪仙，即从天上被贬下来的仙人。换句话说就是，李白太厉害了，基本不是人了，是个神仙。但他是从天上被派下来的。这个外号的来历就是一个非常好的"道人善，即是善；人知之，愈思勉"的例证。谁称李白为谪仙？贺知章。他是唐朝著名的诗人，非常了不起，为人直爽、豁达、健谈，当时满朝文武都特别仰慕他，很愿意和他交谈。贺知章还有一个优点，就是爱才若渴，热情地提携后辈，特别愿意去称扬别人好的地方，去赞扬别人的优点。当贺知章在京城的时候，李白还只是一个青年诗人，崭露头角。贺知章读了李白的《蜀道难》后，赞叹不已，逢人就说李白是谪仙，是从天上下来的神仙。贺知章比李白要年长四十多岁，但两人一见如故。正是由于贺知章不停地赞扬李白，称颂李白的才华，才使李白名震天下，后来更被称为诗仙。

《弟子规》教导我们要尽量去宣扬好人好事，同时对待坏人坏事也给我们提出了要求。可是，这种不要扬人恶的态度，对今天的我们还适用吗？为什么对《弟子规》中"扬人恶，即是恶；疾之甚，祸且作"这句话，我们应该有所取舍而不能全盘接受呢？

反过来，如何对待别人的恶呢？《弟子规》也有明确的要求："扬人恶，即是恶；疾之甚，祸且作。"即别人做的恶事，你到处去讲，这个你本身就是恶。如果你讲得太厉害了，批评得太厉害了，你可能会惹祸上身啊！这四句话，是特别要注意分析的，要理性地去看。《弟子规》这么说，是传统社会希望孩子从小养成谨言慎行的习惯，管好自己的嘴巴，要教孩子从小懂得"病从口入，祸从口出"，不要去惹事。这个观点在传统社会是这么看，但在今天不一定合适。

汉朝时有一位将军叫灌夫，勇敢善战，疾恶如仇。但是他有个缺点，就是不给人留面子，到处去扬别人的恶。他疾恶如仇嘛，所以看见一个人干了一件坏事，就到处去说。有一次，丞相请他喝酒，在酒宴上，丞相说：你喝，你把这杯给干了。灌夫说：我就不干。两人争起来了，灌夫一火，当众把丞相做的恶事全部抖了出来。酒宴被搅散了不说。还因为丞相是皇帝的舅舅，灌夫最后被杀了。

传统观念中，是很忌讳扬人恶的。所以在民间，居然编了一个叫"滥言舌枯"的故事，即你说话太多，特别是说别人不好，你的舌头就会枯掉。

从前有个人叫祝期生，这个人从来不喜欢说别人的好话，以说别人的坏话、扬人恶为最大的乐趣。他遇到那些相貌丑陋的人，高兴坏了，肯定要讥讽人家；碰见相貌俊美的，他又气坏了，又要诋毁人家；遇到笨的就欺负人家，遇到聪明的就挤对人家；遇到穷的就瞧不起人家，遇到富有的人就诽谤人家；遇到当官的他也不怕，见到读书人就揭发人家的隐私；看到人家奢侈他要骂，看到人家节约他也要讥讽；看到人家说好话，祝期生就说：哎，嘴上说说的，他心里不是这么想的。如果有人在做好事，祝期生就说：哎，怪了，他既然做了这么一件好事，那么那件好事他为什么不做呢？他就是这样一个让人很讨厌的人，一辈子就过这个日子。到处乱讲。到了晚年，祝期生得了一种病，舌头发黄，必须用针去刺这个舌头，挤出一碗血他才能康复。后来一年中，类似用针扎舌头放血的工作得自己折腾六到七次，痛苦得说不出话，最后他的舌头枯掉了，人就死了。

但是，这里有个问题，《弟子规》在这里反映的思想，或者这种观点，是不是有一个度的问题？我们是不是完全能够把《弟子规》这里的内容照搬来教育孩子？在我个人看来，《弟子规》把不能扬人恶绝对化了。《弟子规》绝大部分是非常有道理的，但是，这绝对不等于说我们就应该无原则、无条件地全盘接受。我们还是应该具体情况具体分析，特别是要把《弟子规》里的思想和内容与现在的社会状况进行比较、对照。应该继承的，我们要坚决地继承；应该扬弃的，我们要坚决地扬弃。如果完全按照《弟子规》来做，那么见义勇为就无从谈起了。有个坏人在那儿干坏事，你都不敢说，谁都不说，那这个世道可就太黑暗了，与恶势力作斗争的理由都没有了。比如今天有些很坏、很恶的事情大家去揭发，大家去斗争，如果按照《弟子规》来讲，你不对啊，扬人恶你就是恶啊！你说别人不好，你自己也不好啊！这里面就有一个是非泯灭的问题。所以，我们对传统文化遗产，一定要理性地分析，不要一味地批判传统文化，说传统文化什么都不好，但今天弘扬传统文化，我们也不能说传统文化什么都好。这两种意见都是极端的。

虽然《弟子规》要求我们要"道人善"，不要"扬人恶"，可是接下来《弟子规》又告诉我们要"善相劝，德皆建；过不规，道两亏"，这看起来和前面的"扬人恶，即是恶"的内容又有些矛盾了，这又是怎么回事呢？对于《弟子规》中出现的这种互相矛盾的地方，我们究竟应该怎么做呢？

《弟子规》接下来又要求孩子，从小要形成一种良好的习惯，或者说与人交往的习惯，即"善相劝，德皆建；过不规，道两亏"。大家应该相互提醒对方，跟朋友交往的时候，要劝人向善，这样的话对两个人道德的建立都有好处。如果你看见对方有过失，你不去规劝，那么朋友之间，两个人都于道有亏，不是好事。你看，这个跟前面的话在逻辑上是不是出现一点矛盾呢？

南北朝的时候，有两个人是好朋友，一个叫崔瞻，一个叫李概，他们不是一般的酒肉朋友，而是经常聚在一起谈天说地、诗文酬答，一起学习和出行。如果对方有缺点，彼此都会毫不客气地指出来。后来，李概要回家了，要和崔瞻分别，崔瞻十分难过，就给李概写了一封信，说意气用事、仗气喝酒是我经常犯的毛病，有你在，你总是毫不客气地教训我，如今你走了，还有谁可以指出我的缺点呢？我是多么地思念你这位好朋友啊！这就是真正的友情。

我们在教育孩子时，有时要留意一下孩子所交的朋友。多关心一下，孩子再小也有他们的社交圈，不要以为社交圈是人踏上社会以后才有的。如果孩子一生能够有两三个像李概这样的益友。他们将受益终身。而且这样的益友自然越多越好，但在很多情况下是可遇而不可求的。

在"善相劝"这方面做得很好的人，我们不能不再次提到管宁。东汉末年黄巾起义，汉王朝岌岌可危，社会动荡不安，这时管宁跑到辽东，就是今天的东北和朝鲜那一带。当时那里的文化还没有开发和建立，管宁就在辽东"讲诗书、陈俎豆；饰威仪、明礼让"。辽东太守热情地欢迎他，多方资助他。"讲诗书、陈俎豆"：由于辽东的汉文化基础很薄弱，他就经常把老百姓召集起来，让大家一起共同来读诗书，把祭奠祖宗等慎终追远的东西教给大家。"饰威仪、明礼让"：比如，原来有的人可能不大讲究，光着身子就出来满街走，像这些方面，他就教育大家要懂得礼仪，懂得相互谦让。最后管宁通过这种善相劝，把辽东地区的文化水准、文明程度在东汉末年那样的乱世一下子提高了。这是管宁的重大贡献。

可见，善相劝也是非常非常重要的。所以，我们在读《弟子规》时，一定要认真地用心去读。看到里边有一些矛盾的相互抵触的地方，不要轻易放过，要认真地思考。思考清楚以后，有自己的取舍，然后才用它来指导、规范自己的行为，用它来教育自己的孩子。

《弟子规》在接下来的部分还给孩子提出了哪些要求？还给孩子做了哪些指点？请大家听下一讲。

明·姚绶·秋江渔隐图

第十九讲　泛爱众之三

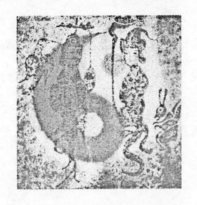

凡取与，贵分晓；与宜多，取宜少。

将加人，先问己；己不欲，即速已①。

恩欲报，怨欲忘；报怨短，报恩长。

待婢仆②，身③贵④端；虽贵端，慈而宽。

势月良人，心不然；理服人，方无言。

①己不欲，即速已：孔子说"己所不欲，勿施于人"，意思是自己不愿意的事，也不要强加于人。已，停止。

②婢仆（bì pú）：旧时供有钱人家使用的女子称婢，男子称仆。

③身：指主人自身。

④贵：重在。

在给予和获取之间，我们应该注意什么？古人说的"取予不可苟且"究竟是什么意思？《弟子规》这些本来是用来规范孩子言行的话语，对成年人又有什么现实的指导意义呢？

现在的孩子都是独生子女，从小在众多长辈无微不至地呵护下长大，因此在成长的过程中，他们在家庭中一直都是被关爱、被付出的一方，他们几乎无须付出，就可以得到想要的一切，因此很多孩子从小就养成了以自我为中心的习惯，而不懂得去关心别人、与人分享，以至于长大后进入社会，他们才发现自己很难与人相处，也交不到朋友。那么关于这些问题，《弟子规》又是怎么告诉我们的呢？

孩子终究要长大，一旦进入社会，他们就免不了要和别人交际、沟通，这时就会遇到取和予的问题，也可以说是拿和给的问题。古人讲，"取予不可苟且"，（《淮南子·本经训》："取予有节，出入有时。"）无论是你拿进什么，还是你拿出去什么，都不能随便，要很在意。中国民间还说亲兄弟明算账，亲兄弟之间也得把账算算明白，所以中国的传统特别看重从小培养孩子"取予不可苟且"的习惯。

现在的孩子，给的机会不太多，取的机会很多，因此他们就不知道在予和取的过程中，应该怎么样来把握这个度，怎么处理。取和予，当然是有所区别的。

《弟子规》希望，孩子从小养成这样的习惯："凡取与，贵分晓；与宜多，取宜少。"只要牵涉到拿和给，那就一定要弄得明明白白，不要马马虎虎、模模糊糊。给予别人的时候，多一点不妨；拿进的时候，少一点不妨。

传统中国，固然有不少为富不仁之徒，大斗进，小斗出。过去青黄不接的时候，农民活不下去了，要到大户人家去借粮，借一斗，但是有的为富不仁之徒借出去的时候用的斗是小的，等你打下粮食还给他的时候，他拿出一个大斗，说你得还我这么一斗。这就反了。

当然，不可否认，传统中国也有很多积善之家，小斗进，大斗出，是在做慈善。因为过去中国人相信散福积德，认为一个人的福分不能太多，否则以后会承受不住的，所以要散掉一点，散掉的是福气，积回的是德，这个德不一定应在你身上，让你发大财，但是会应在你的子孙后代身上。这里面当然有迷信色彩，但是你却不能否认这是一种善行。

古人很讲究，甚至讲究到不近人情的地步。有一部古书叫《风俗通》，在这部书和它的评注里面，我选出三位人物，是关于"取予不可苟且"的。

有一位，原文记载很短："颍川黄子廉，每饮马辄投钱于水，其清可见矣。"颍川这个地方，有一个人叫黄子廉，骑马，马渴了，他就把马牵到河边让它喝水，每次马喝完水他都要扔个铜板在水里，因为他认为自己的马喝了河里的水，他得交钱。

> **《风俗通》**
> 即《风俗通义》。东汉末应劭撰。原书二十三卷，一百三十篇，今存十卷。内容以考释议论名物、时俗为主，对当时的社会陋习和迷信思想颇有批判。文中首次记载了"女娲造人"、"李冰斗蛟"等神话。

还有一位更绝："太原郝子廉，饥不得食，寒不得衣，一介不取诸人。曾过姊饭，留十五钱，默置席下去。每行饮水，常投一钱井中。"有个太原人叫郝子廉，他很穷，吃不饱，穿不暖，但是他从来不随便拿别人的东西。有一次，他到姐姐家里去吃饭，在席子底下放了十五钱作为给姐姐的饭钱，悄悄地放，因为怕姐姐不收。而他平时走路时渴了的话，只要去喝井水，就放一个钱在井里边。有人也许会说，这不是胡闹吗？你放个钱在井里边叫谁捞去啊？其实，古代的井过一段时间要淘一遍，这样可以保持井水的干净，经常要清理井底，那么淘井的时候可以把钱拾起来。前面说到的那个人把钱扔在河里，那更找不着。

最最绝的还有一个人："鲍焦耕田而食，穿井而饮，非妻所织不衣，饿于山中食枣。或问之：'此枣子所种耶？'遂呕吐立枯而死。"有一个叫鲍焦的人，他只吃自己种的东西，只喝从自己井里打的水，只穿妻子织的衣服。有一次他到山里去，饿了就吃树上的野枣子，这时旁边过来一个挺无聊的人，说，哎：你不是不吃别人东西吗？这棵枣树是你种的吗？结果鲍焦马上把枣子吐出来，站在那里饿死了。

这三个人都很极端，也很不近人情，这个我们没必要提倡。但我们不得不说他们的行为是值得尊敬的。

> 虽然，今天像前面这种极端的例子不会发生了，但是在家家都是独生子女的今天，关于取和予的问题却更加地突出了，如今的孩子在几个大人的呵护下长大，取多予少，逐渐养成了自私的习惯，不懂得分享。那么这样的缺点又会给孩子的人生造成怎样的困扰呢？

《弟子规》的"凡取予，贵分晓；与宜多，取宜少"这十二个字对于今天的孩子来说特别重要。第一，今天的孩子基本上都是独生子女，不大知道给予别人，从小没有这个环境，不能怪他。第二，我们都会忽略，现在中国的第一考不是高考，是公务员考试。很多家长都特别希望自己的孩子长大以后去为国家服务，为民族服务，去当公务员，那就特别需要培养他们从小养成取予分晓的习惯。

我们经常看到媒体报道，有些公务员贪污了，很多都是从小事情开始，不是说第一次就贪污很大一笔钱的。现在流行的一句话，温水煮青蛙，这是说一只青蛙，在凉水里也能活，在稍微有点温度的水里也能活。火在底下烤着，青蛙不知道，在水里挺高兴，慢慢热，慢慢热，突然发现自己熟了。所以，这就要求我们在对孩子进行教育的时候要特别注意这个问题。

《越中杂识》中记载，有一个东莱人叫刘宠，是个读书人，东汉的时候当了会稽（今浙江绍兴）太守。这个人非常廉洁勤政，汉朝末年时国事一塌糊涂，贪官污吏横行，拥兵自重，祸国殃民，但是会稽郡却吏治清明，百姓安居乐业。《后汉书》说："宠治越，狗不夜吠，民不见吏，郡中大治。"后来，因为声望高，刘宠就被征召回京任将作大匠，类似于今天的住建部部长这个职位。临行的时候有几位老人来送他，哭着说：我们都是小民，前面那个郡守不像话，贪赃枉法，扰得我们不安生。所以，以前那个当官的在的时候，每到半夜我们这儿的狗都叫个不停，觉都没法睡。自从您来了之后，晚上连狗都不叫了。我们现在听说您要离任，也挽留不住，所以我们就自愿地集了几个小钱给您送行。然后老人们就给了刘宠一包钱。刘宠说：这个我不能收，这实在是不敢当的事情。但是这几位老人一定要他收下，刘宠因为急于赶路，实在是盛情难却，就把这一包钱给收下来了，等他出了山阴界，即会稽郡的地理范围，就把这包钱投到了江里。于是大家都传说，这段河水从此变得特别的清

> **《越中杂识》**
> 　　地方志，乾隆年间成书。作者署名"西吴悔堂老人"。《越中杂识》专记浙江绍兴的"山川人物、古迹碑铭"，在编撰上除对清康熙三十年（1691）的《绍兴府志》有所摘录、增删外，还将作者自身"昔所浏览见闻极真者参记期间"，故而"保存了许多珍贵的资料"。

澈。这条江就是今天的钱清江。当年乾隆皇帝南巡的时候，经过这个地方就问，为什么有那么怪的名字。当地人就把流传了千余年的东汉末年的故事，禀报给了乾隆皇帝，乾隆皇帝挥笔题了一首诗："循吏当年齐国刘，大钱留一话千秋。而今若问亲民者，定道一钱不敢留。"我们做父母的应该从小培养孩子有刘宠这样的好品格。

> 我们通常会对那些给予我们帮助的人心怀感激，并且也会尽力去回报，但是对那些和我们有过过节的人却很少有人能够轻易原谅，可是接下来的故事告诉我们，以德报怨不仅能够化解不必要的纷争，甚至可以避免一场战争，这又是怎么回事呢？

《弟子规》告诉我们有恩一定要报，而对于那些怨恨，我们最好忘掉，如果我们都能够做到，社会将更加和谐。

《弟子规》接着讲："将加人，先问己；己不欲，即速已。"这讲的还是"己所不欲，勿施于人"的道理。再次强调，在要求别人之前。先要求自己。如果自己也不愿意，或自己也做不到，那就别去要求别人。

有恩必报，这是中国的传统，所以《弟子规》也提倡，要让孩子从小知道"恩欲报，怨欲忘；报怨短，报恩长"，懂得人应该记恩，多怀感恩之心。古人讲，滴水之恩当涌泉相报，那么，怨恨能忘记就快点忘记，能放下就快点放下，因为冤冤相报何时了啊？

在古代，魏国与楚国交界的地方，有一个小县。一个姓宋的大夫，到这个县里去当县令。两国交界处，气候条件和土壤条件都差不多，所以两国的老百姓都以种瓜为生。这一年春天，气候干旱，由于缺水，瓜苗长得很慢，魏国的人担心瓜苗不长会导致损失，就组织一些人，每天晚上到地里面去挑水浇瓜，连续浇了几夜之后，瓜苗的长势就变得特别好，特别旺盛。而这时楚国老百姓的瓜田里的瓜苗长得不好，蔫蔫的。他们一看到魏国人种的瓜长得好，心里就很不爽，很嫉妒，于是半夜三更偷偷地跑到魏国的瓜地里去，把瓜秧都给踩断了。魏国的老百姓很生气，说我们今天晚上也过去，把楚国的瓜秧给踩了，凭什么我们经常被他们欺负，我们又没做错什么。这时宋大夫摇摇头，对这些百姓说：如果你们一定要这么干，也不是没有道理，确实是那些楚国百姓有错，我们魏国百姓没有错。但是，你们这么干，最多就是解解恨，撒撒气，可是后面呢？以后楚国的人更不会罢休了，晚上又来踩你们的瓜秧，今天他踩你，明天你踩他，踩来踩去，两边的瓜都没有啦，对谁都没好处啊！又积怨，何必呢？魏国的老百姓就问宋大夫，那怎么办？宋大夫就出主意说：你们今天晚上浇完了自己的地，再过去把楚国的地浇一遍，结果怎么样？走着瞧。当时的老百姓还是很听当官的话，魏国的老百姓当天晚上把楚国的瓜地给浇了。第二天，楚国的人发现魏国的人不仅不记恨，反而在夜里帮他们浇瓜，惭愧得无地自容。这还是一件小事吧？但是两边的老百姓都不知道，当时楚国对魏国正好也是虎视眈眈，就等着一有借口就准备发兵攻打魏国。而边界这件事情被楚国的县令知道，他把魏国的老百姓晚上来给楚国浇地的事情禀告了楚王，楚王深受感动，内心不安，不但没有发兵攻打魏国，而且主动和魏国和好，送去了很多珍贵的礼物，维持了很长时间的和平。这就是对恩怨的处理方式。处理得好，大家都好；处理得不好，大家都不好。《弟子规》希望人要报恩，不要去报怨，让这种观念从小就在孩子的脑海中扎根，牢牢地记住。

> 虽然我们今天已经没有婢仆了，但是《弟子规》讲的这个情况也适用于那些替我们服务的家务工作者，他们每天都和我们生活在一起，可是又不是我们真正的家人，那么我们应该以什么样的态度来对待他们呢？

现在，在很多家庭中，特别是城市家庭中，都有家务工作者，民间一般叫保姆、阿姨，他们和主人在人格上是完全平等的。但是在古代有尊卑、等级、身份观念，大户人家有奴婢或者仆人。传统中国的这些奴婢和仆人是个什么样子，大家看看《红楼梦》就知道了，袭人啊，晴雯啊，这还都是大丫环呢，看看下面的小丫环，过的那是什么日子。

我们首先要搞明白，虽然今天已经没有婢仆了，但《弟子规》中的某些思想对我们从小教育孩子依然是非常重要的。我们要教会孩子，怎么对待自己家里的家务工作者。今天城市中的很多孩子，都是由家务工作者带大的，要求孩子从小对家务工作者持一种什么样的态度？这已经变成一个非常大的问题。

《弟子规》的要求是，"待婢仆，身贵端；虽贵端，慈而宽"。主人在对待婢仆的时候，行为必须端正。而就今天的家庭而言，除了自己的行为要端正以外，主人不妨也做一点力所能及的家务活，不要因为家里有家务工作者，你就连油瓶倒了都不扶，我实际上很看不惯这一点。比如有的时候到朋友家里去，其实大家都没什么事，晚上去聊天，孩子在旁边。这个时候做父母的说：哎，阿姨，给我倒杯茶来。这其实没有必要。尤其有的时候聊天聊得很晚，比如聊到晚上十点、十一点，家里的阿姨已经休息了，这个时候作为主人走两步到厨房也不要紧。现在又没有多大的房子，就算你有个四合院，走两步也就过去了。如果也要叫一声阿姨，起来倒杯茶，孩子看在眼里，记在心里，将来长大以后，对他的合作伙伴或者部下、助手也会这样。这对孩子是没有好处的。特别不要纵容孩子衣来伸手、饭来张口，要有意识地让孩子从小也做一点事情。尤其是，这一点教育是我们今天缺失的。同时。仅仅是行为端正还不够。还应该慈爱而宽厚，不能对家务工作者苛刻。

我有一位陈姓朋友，是世界级油画家，非常了不起，他对自己的家务工作者非常宽厚。有一次，他从国外进口了一个浴缸，搬回来放在家里，家务工作者出于好心，要给主人把这个浴缸擦一下。但是家务工作者不知道。这个浴缸不是我们通常用的搪瓷的或者铸铁的，而是一种新型材料做成的。

这位家务工作者就拿一块百洁布拼命去擦，一擦一道痕，一擦一道痕。这个浴缸就被擦报废了。而我这位朋友一点都没有生气，而是说：谢谢你帮我把浴缸擦干净，谢谢你，谢谢谢谢，但是这个浴缸因为它的材质比较特别，不要这么擦。而且，他为了让这个家务工作者安心，没有换掉那个浴缸，他天天躺在这个毛喇喇的浴缸里泡澡。当然，过一段时间他会换掉这个浴缸，但是他当时很尊重别人的感受。这是位非常了不起的艺术家做的事情，所以我觉得这就是人品的问题。毕竟生活在同一个屋檐下，彼此尊重，彼此体谅，是非常重要的。

> 在讲求人人平等的今天，做到这一点尚且不那么容易，可是在地位等级观念很严重的古代，也有一个关于如何善待婢仆的故事，而且在当时也被大家传为佳话，可见这样的善行即使在等级森严的封建社会也是受到大家认可和肯定的。那么这又是一个怎样的故事呢？

宋朝一个非常著名的诗人叫杨万里，他大概于公元1127年出生，1206年去世，号诚斋，江西吉水人，是南宋杰出的诗人，与陆游、范成大齐名，一生主张抗金。他立朝刚正，遇事敢言，无所顾忌。因为他太正直，所以随时做好了丢官的准备，事先把回家的路费留好，而且他也不许家里人买东西，怕回家的时候东西太多，带不了。他的夫人罗氏虽然是贵夫人，但是对婢仆"虽贵端，慈而宽"。古代的冬天没有空调、暖气，奴婢更无法取暖。于是，罗夫人一到冬天就很早起床，亲自下厨熬一大锅热气腾腾的粥，分给奴婢吃完以后，才安排奴婢干活。一直到七十岁，这位罗夫人都坚持这么做。杨万里搞不懂，就问自己的太太：天气那么寒冷，你现在也七十岁了，为什么大冬天不多睡一会儿，·非得起来熬这锅粥啊？家里那么多仆人，他们完全可以干，你为什么非要自己干啊？罗氏的回答是：婢仆也是有爹妈的，也是别人家的孩子。冬天的早晨那么冷，一定要让他们的肚子里边有点暖意，才可以干活啊！

更为难得的是杨万里和夫人罗氏一共生了七个孩子，四个儿子、三个女儿，他们都是由罗夫人的母乳喂养长大的。过去的官家，很多都有奶妈的，有人就问罗夫人：你这是干什么啊，一个人奶大七个孩子？而罗夫人讲：我看不得别人饿着自己的孩子来喂我的孩子。历史上对这位罗夫人的赞誉是很高很高的，在一百年前的传统中国，大概没有人不知道罗夫人的。古人相信因果报应，相信积德，因为杨万里脾气坏，为人正直，所以他当官得罪了很多人，而且自己并没有当什么太了不起的大官。但是他的四个儿子全部当上了大官。所以古人就总结，把这个功劳归到了他们的妈妈身上，因为妈妈慈而宽，非常尊贵、端庄，积了德。妈妈受苦，儿子享福，在民间一直有这个说法。

"势服人，心不然；理服人，方无言"，《弟子规》用这四句话结束了泛爱众。意思是说，**如果你仗势欺人，去压服别人。虽然你官大、权力大，别人惹不起你，但别人心里也是不以为然的。只有以理服人，大家才会心悦诚服。**

我们前面讲过，"泛爱众"是《弟子规》的第六个板块，这是我们后人给它分的。为什么说这个板块特别重要？因为"仁"在中国古代或者在中国传统文化当中，是一个核心的道德概念，仁者，爱人也。仁者，要和自己的同类有一种相互亲爱的关系。而在中国传统当中，对这个仁字还有一个解释：仁者，从人从二，即一个单立人，旁边是个二。所以仁者，就是人们要学会互存、互助、互敬、互爱，要求人类社会守望相助，和谐共处。这是仁的另外一层意思。所以既然是这样的话，当然就会要求泛爱众。因为大家，天同覆，地同载，应该彼此相爱。**人的含义虽然非常地宽泛，我们也多次提到，但是最主要、最核心的是对人的生存权和人的尊严的肯定。这是中国传统文化的经典。**

温总理曾经在作报告的时候强调，要让人民生活得更幸福，更有尊严。当温总理讲到"尊严"两个字的时候。会场爆发了暴风雨般的掌声。我们中国传统文化的精义就在于此。要有一种尊严。这样，就必须靠所有的人彼此亲爱，才能构建出一个和谐而有尊严的人类社会。

孔子提出了"仁者，人也"这样一个命题，并且进而要求仁者是要爱别人的，这是孔子思想最伟大的地方。他认为，爱人的最高目标就是要做到对人忠，己欲立而立人，己欲达而达人，最起码就是要对人恕。什么叫恕？己所不欲，勿施于人。这也是泛爱众的底线，最低标准。

到这里，《弟子规》的第六部分结束了。在接下来的部分当中，《弟子规》还有哪些教导？请大家听下一讲。

第二十讲　亲仁

同是人，类不齐；流俗众，仁者稀。

果仁者，人多畏；言不讳，色不媚。

能亲仁，无限好；德日进，过日少。

不亲仁，无限害；小人进，百事坏。

　　《弟子规》"亲仁"篇虽然篇幅短小，却饱含深意。亲仁，就是亲近仁者，与仁者为友。那么，什么样的人才能称得上是仁者？我们在交朋友时又该注意些什么呢？

仁爱，是儒家思想的核心内容。孔子认为，仁爱是做人的根本。而《弟子规》作为儒家启蒙教育读本，更是将这一思想贯穿其中，把"亲仁"作为一个独立的单元来进行编排。亲仁，顾名思义，就是亲近仁者。也就是说希望孩子们从小要选择有仁爱之心的人来做朋友。那么，什么样的人才能称得上志士仁人？在现实生活中，要怎样分辨好朋友坏朋友呢？

通常的划分是把《弟子规》划成八个大部分。那么从今天开始，《弟子规》就进入了第七个部分，叫亲仁，要亲近仁义道德，要亲近讲仁义的人。第七部分非常有意思，从篇幅上看，这一部分非常简短，一共只有十六句，四十八个字，但是这绝不代表这个部分就不重要。恰恰相反，这个部分尽管简短，但是非常重要。

我们都知道，仁是儒家传统中一个核心的观念，是最核心的价值。不过通常认为，《弟子规》在亲仁的部分，讲的这个仁字，并不是一个抽象的概念，而是指非常具体的人，有仁德的人。也就是说，他们在品德方面，具备了仁这样一个核心价值的人物。《弟子规》认为，我们应该亲近这样的人，特别要让孩子从小有意识地亲近有仁德的人，为他们提供这样一个成长的环境。换句话说，**我们要注意孩子从小交朋友的情况，他们从小跟哪些长辈玩儿。和哪些同辈交往，这是非常重要的。**当然，现实中这样的仁人并不是很多。

所以，《弟子规》在"亲仁"部分，首先讲"同是人，类不齐；流俗众，仁者稀"。大家都是人，但是人和人之间差距太大了。我经常说，人和人之间的差距比人和猪还大。人和猪的共同点很少，但是好人和坏人之间的共同点，恐怕比人和猪还少。所以我讲，人和人的差别有时候比人和猪还大，猪大不了就是比较懒惰，吃了睡，睡了吃，但是猪不会搞阴谋诡计，没有听说过一头猪会去折腾另外一头猪的，或者一头猪挖个坑把另外一头猪埋起来，但是有的人会干。这就叫"同是人，类不齐；流俗众。仁者稀"。流俗，即随大溜的人，对自己没有什么要求的混日子的人。仁者稀。在孔子眼里，仁者才三个嘛。

> 在这个世界上，符合仁人标准的人很少，那么，什么样的人才可以称得上是志士仁人？至圣先师孔子，他眼中的三个仁人又会是谁呢？

一个是微子，一个是箕子，一个是比干。这三个人都是商代的人，他们在孔子眼里都符合仁的标准。

微子是商朝贵族，他有个弟弟很有名，叫纣王。纣王是一个非常淫乱的人，很暴虐，到了纣王时，商朝已经露出灭亡相，要亡国了。所以微子就对他这个弟弟屡次进谏，但是纣王听不进去。微子于是出走。离开了当时的国都。武王克商，我们知道周武王后来发兵，把商朝攻灭了。这个时候，一般人就会逃跑，浪迹天涯，苟延性命于乱世。而微子不是，肉袒面，缚乞降。古人投降不像咱们今天投降仪式那么简单，鞠个躬，哈个腰，拿个白毛巾挥挥，我投降。古人没那么简单，上身脱光，赤膊，把自己绑起来。过去讲究的，嘴里还要含一把草，意思是你杀了我算了吧，把我当草一样埋掉。微子脱光了上身，把自己绑起来主动前来投降。这里边就体现了他的品格。什么品格呢？一个投降的人，第一，认罪，承认商朝，我这个弟弟的确暴虐，不讲仁义，武王攻灭了我们，我们认为武王是代表比较善良的力量，代表了仁的力量，所以我心甘情愿地来投降。第二，就是他这个举动的后果。过去的规矩是什么？一个朝代攻灭一个朝代，就算不是全部，但基本也要把前一个朝代的血脉给斩断了。否则，我不会放心，让你还有你的子孙在，那你的子孙将来造反怎么办？但微子主动在亡国以后来投降，周朝开国的君王一看，就让他继承了殷室，把他这一支留下来，不赶尽杀绝。所以微子就被封在了商朝的发祥地商丘，这个国号就是宋，并且允许他用天子的礼乐来祭祀自己的祖先。这个在孔子看来当然是天大的事情了，你把祖宗的血脉保留下来了。

第二个仁人是箕子，比微子长一辈，是纣王的叔叔。当时有人看到他的侄子纣王那么坏，就劝箕子说：你离开殷商吧，不要在你侄子的国家里。而箕子却说：如果我离开了，就变成了彰君之恶，把国君的恶暴露给大家。自己是国君的叔叔，如果连自己都不愿意在自己家里待了，别人就会想这个侄子是怎么回事嘛，所以我不能走。一来，会彰君之恶；二来，会自悦于民，那就好像显得我去讨好百姓，所以我不走。他的选择是，独自一个人隐居在箕山（他封地的山里边），并且假装自己疯了。纣王发现了以后，把他囚禁在今天河南的西华县一带。箕子就在这个地方构想出来一个伟大思想——洪范九畴。这是非常了不起的中国古代宝贵的思想资源，它包括对自然世界、人生、人的行为、治国安民、天文、历数、气候、祸福等的哲理思考。箕子是儒家的先驱之一，地位非常重要。他的思想上面继承了大禹，下面开启了周公的明德保民和孔子的仁。

第三个仁人是比干，他是中国古代忠臣第一人，有的时候被称为亘古第一忠臣，有的时候被称为国神——一个国家的神。他去劝谏纣王说，"主过不谏非忠也"，我看见自己的国王有过失，我不去进谏，那我就是不够忠；"畏死不言非勇也"，我如果因为怕死不说话，那我就称不上勇敢；"过则谏不用则死"，我发现国君有过，我就进谏，如果国王听不见，我就死。这些都是非常了不起的话，所以被古人视作忠的最高典范。

洪范九畴

　　《尚书·洪范》提出的治理国家必须遵循的九条大法。据说是周武王十三年（前1122）灭殷后，殷遗臣箕子向周武王陈述天人关系时提出的。九条大法是：1. 五行，即木、火、土、金、水。2. 敬用五事。3. "农用八政"，即管理民食、管理财货，管理祭祀，管理建筑，管理教育，管理司法，接待宾客，治理军务。4. "协用五纪"，就是要和岁、月、日、星辰、历数协调一致。5. "建用皇极"。6. "乂用三德"。7. 明用稽疑。8. 念用庶微，就是通过雨、晴、暖、寒、风等的气候变化以判断年景和收成。9. "飨用五福，威用六极"，就是通过寿、富、康宁、亲近有德、善终等"五福"劝导人证向善；通过夭折、多病、忧愁、贫穷、丑恶、懦弱等"门极"警戒和阻止人们从恶。

　　他曾经强谏三日不去，纣王听不进去他的话，比干就在那儿唠唠叨叨地提了三天意见，纣王被他搞得烦死了，就问他：你这样跟我搞，你凭的什么啊？谁给你那么大胆子啊？连续给我提三天的意见啊？比干说：我靠的就是善行和仁义。纣王就发火了，说："吾闻圣人之心有七窍，信有诸乎？"（《史记·殷本纪》）哦，那你是把自己当圣人看，好，我听说圣人的心有七窍，我还不知道是真的还是假的。我们一般人的心有四窍，心房心室各两个。所以纣王就下令剖开比干的心看一看，实际上是把比干杀掉了，比干终年六十三岁。这一幕感动天地，亘古流传。

微子、箕子、比干，这是孔子眼中的三个仁人，是真正品德高尚的人。当然我们也希望在生活中能与这样的人交朋友，但是在与人交往的过程中，我们很难辨明哪些人可交，哪些人不可交，《弟子规》又会给我们什么样的启示呢？

　　《弟子规》接着讲："果仁者，人多畏；言不讳，色不媚。"如果真正是仁者，那么大家都会对他有敬畏之心。"言不讳，色不媚"。他说话的时候非常地正直，不会花言巧语、口蜜腹剑，只会实事求是、非常直率地说话。"色不媚"，也就是他的举止行为，不会献媚。换句话说，仁者不会溜须拍马。那么，什么样的人才是有仁德的人呢？

　　第一，要有大公无私的精神，有博爱的情怀。仁者爱人也，首先要有爱心。

　　第二，这个人应该能够克制自己的私欲，依照社会秩序和道德规范来要求和约束自己。克己复礼，你不能由着自己的喜好、个人的想法，根本不管社会的秩序和道德，这是不行的。

　　第三，应该具备崇高的境界和道德修养。

　　第四，应该智、勇、言兼备，并且遵循中庸之道。智，你要有智慧，要有知识。勇，你要有勇气，要有担当，要有责任感。言，你要会表述，会表达，按照圣人之言来表述，来弘扬这种仁义的思想，来推广这种仁义的道德，必须智、勇、言兼备。这样还不够，同时你还要奉行中庸之道中的和谐、平稳、雍容这样一种境界，不能走极端。

　　最后一点更重要——仁人，也就是说具备了仁的品德的人，要有具体的行动和行为，你不能关在门里，自己大讲仁义道德，或者就在课堂上讲仁义道德，或者说就把它作为书面上的一些教条，不行，你要有行为，努力建立伟大的功业。这就是后来讲的修齐治平，这是仁者的要求。

《晏子春秋》里面有一个很有趣的故事，可以用来诠释《弟子规》里的这段话。晏子出使晋国，到了一个叫中牟的地方。他看见路边有一个人戴着非常破旧的帽子，反穿着破旧的皮衣，背着一捆柴火在路边休息。就这样一个穿得很破烂的明显是干苦力活的人，晏子却判断这个人是个君子，就走过去问他，您是谁啊？您是干什么的呢？那个人回答说：我叫越石父。晏子问：那你怎么打扮成这个样子，穿得那么破，还扛着一捆柴火在路边呢？越石父说，哎，我是中牟这个地方一户人家的奴仆，我之所以在路边蹲着，是为了见到了齐国的使者，回齐国去。晏子不正好是齐国的使者出使晋国吗？晏子说：真有意思，你算碰见我了。晏子又问他：你怎么会给别人做奴仆呢？越石父说：因为我不能避免自己的饥寒。意思大概是说他不大会去照应自己的生活，也不大会在这个社会上混口饭吃，所以吃不饱、穿不暖，只能做了别人的奴仆。晏子又问：那你做奴仆做了多长时间了？越石父回答：三年。晏子接下来就问：我可以花钱把你赎回去吗？过去的人口是可以买卖的，在今天这是违法的。

> **《晏子春秋》**
>
> 主要是记叙春秋时代著名政治家、思想家晏婴言行的一部书，是中国最古老的传说故事集之一，大约成书于战国末期，是后人假托晏婴的名义所作。这部书详细地记述了齐国灵公、庄公、景公三朝贤相晏婴的生平轶事以及各种传说趣闻。书中二百一十五个小故事相互关联和补充，塑造出了栩栩如生的晏子形象。《晏子春秋》由于其思想非儒非道也非法家，可以说是多元文化的融汇。此书因不是秦人所作，在秦始皇看来当然是离经叛道之作，所以在"焚书坑儒"中也在禁毁之列。

越石父说可以，晏子就解下了自己马车左边这匹马（古代的马车有两匹马拉的，有四匹马拉的，也有一匹马拉的，所以他原来这个马车大概是两匹马拉的，算是中等轿车），赎回了越石父，请越石父上自己的只剩一匹马的车，一路回到了齐国。马车到了齐国，来到了晏子的家里，晏子自己跑到家里面去了。他忘了车上还带回来的一个人，忘了和越石父打招呼。我们一般人会认为，你是个奴仆。刚刚被人家赎出来，主人不跟你打招呼很正常，你应该千恩万谢才对。谁知道这个越石父非常生气，在院子里大叫，强烈要求和晏子断交：我不理你了，你居然下车不跟我打招呼。晏子也很生气：你这什么人？我跟你素不相识，但把你赎回来了，你居然要跟我断交？晏子就派人来问越石父：我跟你可没什么交往啊，你做了三年的奴仆，我前不久路边见到你，好心好意把你赎了出来，我这么对你还不行啊？我还要怎么对你呢？你为什么突然要和我绝交？你把道理说给我听听。越石父说：贤人说在不了解自己的人面前会蒙受委屈，在了解自己的人的面前会心情舒畅。因此，这就是君子奉行的一种原则——你不因为对别人有功就轻视人家，也不因为别人对自己有功就贬低自己。越石父的这个逻辑很有意思，认为真正贤明的人，在不了解自己的人的面前会感受到委屈，因为我被误解了嘛。在了解自己人面前会心情舒畅，士为知己者死，我心情就很舒畅。真正的君子不会因为对别人有功就轻视人家，假如你晏子是君子是一个仁者的话。就不能因为帮了我的忙你就瞧不起我。同样一个仁者，也不会因为我受了你的恩，我就瞧不起我自己，贬低自己。我在人家做了三年奴仆，那个家里没有人了解我，所以我也无所谓；我穿得破破的，扛着一捆柴火在路边蹲着，我也无所谓，因为他们不了解我。你把我赎出来了，你为什么赎我？因为你是了解我的，你看出我和一般人不一样，所以你才赎我。越石父记仇记得很厉害：你赎了我以后，刚才下车的时候不向我打招呼，请我上车的时候也没有说请你先上车，我当时就有点不爽，但是我当时认为，你大概是一下子忘记了礼节了，马虎了。现在到了你家了，你又不跟我说句告别的话，就直接进屋子去了，你没有把我当和你平等的人看嘛，你这不是还是把我当奴仆看吗？这样吧，你也别烦了，我看我还是回去做奴仆为好，你还是把我给卖了吧。

派去的人跟晏子转述了这个话以后，晏子就从里屋跑出来，恭恭敬敬地和越石父相见：刚才我只见到了你的外貌，发现你气宇轩昂，相貌堂堂，虽然穿得很破，但我认为你不是一般人。你的这番话让我看到了你的内心。晏子就开始自我检讨：反省言行的人，不会再犯类似的错误；体察实情的人，不会在乎别人的言辞。晏子说：我不会觉得你冒犯了我，因为你讲的是实际情况。他跟越石父说：我真心诚意地改正错误，请求你的原谅。说完，晏子派人把客厅打扫一遍，重新安排座位，请越石父上座，恭恭敬敬地向他敬酒，非常礼貌地对待越石父。越石父说：哎呀，你对我这才是以礼相待，我真不敢当啊。后来，这两个人成为莫逆之交，在史籍上留下了这一段记载。所以，我们可以看到什么叫"言不讳，色不媚"。这就是一个最好的例子，他们才是真正的仁者。

《弟子规》"亲仁"篇，虽然篇幅短小，但却始终告诫孩子们，内心一定要以仁义道德作为衡量标准，要明辨善恶，亲近仁者，结交君子。接下来《弟子规》又用了二十四个字，为我们进一步指出与君子交会给我们带来哪些好处，与小人交又会给我们带来哪些坏处，我们在交朋友时又应该注意些什么呢？

《弟子规》接着用正反两方面的阐述来结束"亲仁"这一部分："能亲仁，无限好；德日进，过日少。"因为你接近的都是仁者，那么你参照他，就会每天都意识到自己哪个地方做得还不够好，知道哪个地方要改正，所以你的过错就会越来越少，而你的品德修养会一天比一天高，过错会一天比一天少。这就是能亲仁。反过来，你不亲近仁怎么样？

　　"不亲仁，无限害；小人进，百事坏。"人是社会的动物，总归是要和别人交往的，如果你在和别人交往的时候，接触的不是仁者，而是小人，那么小人就会乘虚而入，进到你的社交圈子里。这样的话，小人就会影响你。你就会被小人的种种不良的言行和行为给污染，你一百样事情，都会坏掉。为什么《弟子规》讲百事坏？我们现在写信或写贺年片给别人，都讲恭祝您万事如意。大家要知道，古人没有这么说的，你现在如果给古人发个贺年片，说我祝您万事如意，古人一定会一个跟头翻下去，晕过去了。古人讲的都是百事如意。现代人比较喜欢翻跟斗，一翻翻了一百倍，翻成万事如意，《弟子规》讲百事坏，这个百事坏等于咱们今天讲的万事坏。

　　我们只要牢牢记住古人讲的一段话，拿它来解释《弟子规》这个部分就够了："与君子交，如入芝兰之室，久而不闻其香；与小人交，如入鲍鱼之肆，久而不闻其臭。"你跟君子交往，就好比进入了一个房间，这个房间里边全是芝、兰等芳香的、非常圣洁高雅的植物，你在这样一个房间待久了，你就不会觉得这个房间特别香，你身上就会带有非常自然的香味。我们知道古人的香都是熏香，熏香要花费比较长的时间，慢慢熏，所以古人身上的香味比较悠扬和自然，不像我们今天临时出门要喷点香水，很刺鼻，这是突然加上去的香味。所以你跟君子交，就好比进入了"芝兰之室，久而不闻其香"，那么你出去的言谈举止就会非常自然，不是很做作的，就像已经浸润到自己的肌肤里了。这是跟君子交，要交好朋友，要亲仁就有这样的效果。"与小人交，如入鲍鱼之肆，久而不闻其臭。"我们今天看到的鲍鱼都是干鲍鱼，没有什么味道。古人那个时候还没有发明做干鲍鱼的办法，鲍鱼是特别容易发臭的，放到店里面臭得不得了。你跟小人交往，就好比你天天待在一家鲍鱼店里，臭得不得了，但是你待久了，你也不觉得它臭，也觉得这个味道很正常啊。

再简单点说，就是"近朱者赤，近墨者黑"。所以，《弟子规》在亲仁的这个部分高度强调，**要为孩子从小营造一个良好的交友的环境，使他有机会亲近仁者，亲近道德高尚的人，使他尽量地避免与不良性格或者不良品德、品行的人交往，使孩子能够在充满芳香的环境中成长**。这个孩子长大以后，当然也是一个仁者，或者说，是一个一直喜欢和仁者交往的人。当然他的品德和学养也会与日俱进，他的过错就会与日俱减，这就是《弟子规》的第七部分，非常简短的亲仁部分的要义。

我想这部分，对于我们今天教育孩子、引导孩子、培养孩子来讲，都有至关重要的意义。《弟子规》在第七部分结束以后，就进入了它最后的一个部分，最后的一个部分讲的是余力学文。为什么《弟子规》讲有余力才学文呢？这里边到底蕴含着什么精义呢？请大家听下一讲。

明·张路·溪山艇图

第二十一讲 余力学交之一

不力行①；但学文；长浮华，成何人！

但力行，不学文；任己见，昧理真。

读书法，有三到：心眼口，信②皆要。

①力行：努力做。这里指身体力行前面所说的孝、悌、谨、信、爱、仁。
②信：确实。

"余力学文"是《弟子规》的最后一个部分。在今天，好好学习几乎是家长对孩子唯一的要求了，可是为什么《弟子规》却告诉我们要有余力才学文呢？难道还有比学习知识更重要的事情吗？

现代社会飞速发展，可以说是一个知识爆炸的时代，几乎从幼儿园开始，我们的家长对孩子的要求就是要努力学习文化知识，对孩子的思想品德、实践动手能力的培养反倒不那么重视了，可是《弟子规》却告诉我们要有余力再学文，那么为什么《弟子规》会这样要求孩子呢？难道对孩子来说还有比学习更加重要的事情吗？而对于有余力学文的孩子，该怎么学？《弟子规》又给我们提出了哪些具体的方法呢？

为什么我们要高度重视"余力学文"这一部分？这是因为它非常有针对性地提醒我们注意，在如今我们教育孩子的过程当中经常进入一个非常严重的误区。现在的家长，无论是父母、爷爷、奶奶、外公、外婆，还是孩子们的老师，毫无疑问，众口一词，都要求孩子集中精力，好好读书，好好学习。然后我们经常看到，孩子被非常沉重的作业、各种各类大大小小的考试压得喘不过气来，几乎失去了童年的快乐。我们由衷地为之担忧。

我也反思我的童年有没有过快乐，仔细一想，也没有快乐。现在的成年人为什么会觉得童年快乐呢？因为是回忆让一切变得美好。实际上，在我读书的时候，已经是今天这样的状态，甚至我当初所面临的各种考试与竞争，比今天的孩子还要激烈。二十多年前，我们高考的时候，录取比例远远低于今天。所以，中国孩子所面临的这种让人担忧的现状，并不是这两三年的，也不是这七八年的，而是几十年，甚至更长时间，中国的孩子都被一顶要好好读书、努力学习的帽子给压着。

之所以会出现这种情况，我们要看一下中国的传统，历来都非常看重教育和学习。"万般皆下品，惟有读书高"，古人把十年寒窗视作成功的第一步，期待有朝一日金榜题名，还可能被皇帝招去做驸马。所谓"朝为田舍郎，暮登天子堂"，正是这一现象的写照。如此说来，今天的孩子所面临的状况不是理所当然的吗？那么为什么《弟子规》要讲余力学文呢？我们既然强调孩子应该把一切的精力都用在读书学习上，又怎么讲有多余的力气才去读书呢？这里面不是明显有矛盾吗？其实，学习这两个字在古代是有特别的含义的，和我们今天讲的学习并不完全相同。

关于儒家的学习观，孔子明确地认为，人生应该以道德修养、品格完善为首要任务，学习书本知识是次要任务。这是中国传统关于学习的最精确的一个意思。我们今天所说的读书，学习书本知识，也就是《弟子规》里讲的学文，无非是学习的一个组成部分而已。在生活实践中，修养自己的品格。培养自己的德行，才是最最重要的事情。正因为如此，《弟子规》才讲"力有余，则学文"。当然，这绝对不等于说书本学习是不重要的，孔子和儒家历来也很重视书本知识的学习，书本毕竟是人类知识传承的最重要的载体。

古人讲得非常好，《论语集注》曰："未有余力而学文，则文灭其质；有余力而不学文，则质胜而野。"如果你根本没有多余的精力，你自己的人格没有培养好，你的品格没有培养好，你还要不顾一切去读书，那么也许你的知识很丰富，学问很渊博，但是你的本质有问题，你所学来的知识反而埋没了你的本质。如果你的确有余力，但你不读书，那么你就会显得略微有点野蛮，不够文明。换句话

《论语集注》

南宋朱熹编注《四书集注》中的一部分。《四书集注》全称《四书章句集注》，包括《大学章句》一卷，《中庸章句》一卷，《论语集注》十卷，《孟子集注》七卷。"四书"之名从此定。注释中颇多发挥理学家的论点。明清统治者提倡理学，将其定位为必读注本。

说，有个人道德品格很好，道德也很高尚，但是他没有读过书，所以他就不具备知识，没有一定的审美能力。比如他去看一场演出，别人都能欣赏，他在那里打呼噜；或者去看一场芭蕾舞：哇，这怎么能看？要命，赶快跑掉。这就是有余力，但是没有学文，也会导致这种情况。

朱熹说得更加直截了当："愚谓力行而不学文，则无以考圣贤之成法，识事理之当然，而所行或出于私意，非但失之于野而已。"如果你一味去实践，只顾培养自己的品格，锻炼自己的行为，但是你不去读书的话，那么你就不会知道历来的圣贤有哪些经验，你就不会认识到事情的规律。你的行为有的时候就难免出于私义。因为你没有读过书，你不知道历代的圣贤怎么讲的，你也不知道同时代的人有哪些这方面的意见，你只能凭个人的经验去做，那么就不会博采众长。我们一定要搞清楚这些，才能准确理解《弟子规》的真正意思。

朱熹

(1130-1200) 南宋哲学家。字元晦，号晦庵，徽州婺源（今属江西）人。朱熹一生，从事教育工作约四十年，做官不过十来年。朱熹在从事教育期间，对于经学、史学、文学、佛学、道教以及自然科学，都有所涉及或有著述，著作广博宏富。他的学术思想，在中国元明清三代，一直是封建统治阶级的官方哲学，标志着封建社会意识形态的更趋完备。朱熹的学术思想在世界文化史上，也有重要影响。在朝鲜、日本称朱子学，曾一度十分盛行。在东南亚和欧美，朱学亦受到重视。

> 《弟子规》告诉了我们学文的重要性，但是它也给我们确立了一个前提，那就是如果你不注重培养自己的品格、德行，不懂得在实践中历练自己，而一味地只顾埋头读死书是没有用的，纸上谈兵的故事就告诉我们读死书会有多么严重的后果。

《弟子规》讲："不力行，但学文；长浮华，成何人！"如果你只管闷头读书，而不去亲近仁者、追求道德的完善、品格的培养的话，结果只能使自己浮华不实。拥有书本知识只是一个人成为仁人的某一些条件而已，不是全部条件，这是儒家的要义。读死书、死读书的人，或者说纸上谈兵的人，往往是成事不足、败事有余的人。

战国时期，赵国有个大将叫赵奢，以少胜多，大败秦军，被赵惠文王提拔为上卿——这是非常高的一个官位。作为一代名将，赵奢书本知识了得，精通兵法，同时又非常擅长实践，很会练兵和打仗。赵奢有个儿子叫赵括，就跟他爸有点不一样，赵括也是熟读兵书，张口洋洋洒洒，非常善于谈论兵事，没有人说得过他，因此他很骄傲，认为天下无敌。实际上他没有当过一天兵，也没有打过一场仗，只是学文学得很好。赵奢对自己的儿子很了解，知道儿子不过是纸上谈兵，因此很是为他担忧。赵奢还说，希望将来赵国不要用我的儿子为将，否则他一定会让赵国的军队遭受失败。不幸的是，后来赵国就是用了赵括做将军。公元前259年，秦军又来进攻赵国，赵军在长平（今山西高平县一带）坚持抗敌。这时赵奢已经去世了，赵军由廉颇指挥。尽管廉颇年事已高，但打仗很有办法，使得秦军根本没有办法速战速决，不一定打得过赵军，秦国知道这样拖下去对自己不利，于是就用了反间计。秦国派了很多人悄悄地溜进赵国，到处散布谣言说，秦军其实最害怕的一个人是赵括，这个人了不起，打不过他。结果赵王听信谣言，任命赵括为大将，代替了廉颇。结果是，赵括只会纸上谈兵，只会学文，不会力行，造成了赵国的惨败，四十多万赵军被秦国坑杀殆尽，赵括本人也被秦军的弩箭射死。这是非常惨重的教训。天底下的父母，有谁会希望自己的孩子成为赵括这样只会纸上谈兵的人呢？

还有一个关于郑板桥的故事，也很有意思。郑板桥是"扬州八怪"里边最有名的一个，他老来得子，难免很喜爱这个儿子，但他对自己的孩子绝不溺爱，一贯要求孩子不要只顾埋头读死书，而要在读书、学文以外掌握一些基本的生活技能，不要五谷不分、四体不勤。可是这个儿子不理解父亲的一番苦心，郑板桥非常着急，他担心自己将来走了，这个孩子还没有完全成年，无法自立。所以郑板桥在临终前，把儿子叫到病床旁边，说：我快不行了，现在我只有一个愿望，你做儿子的要满足我，那就是我想吃你亲手做的馒头。这个孩子还是个孝子，当然要满足

郑板桥的诗格·书风·画品

郑燮（1693-1766），字克柔，号理庵，又号板桥，江苏兴化人，祖籍苏州。他是历史上"扬州八怪"的主要代表，以"诗书画"三绝闻名于世。他所擅长的不在八股文，而是写诗作词。前人称赞其诗文特点为"真气、真意、真趣"。郑板桥的书法取各家之长，融会贯通，以隶书与篆、草、行、楷相杂，特别是融入了作画的方法以写字，终于形成了奇正相谐、雅俗共赏的"六分半书"，也就是人们常说的"乱石铺街体"。画作方面，世人都知道郑板桥的竹子、兰花画得好，却不知他画的梅花也是一绝。他的名作《题竹石》被作为励志经典，广为传颂："咬定青山不放松，立根原在破岩中。千磨万击还坚劲，任尔东西南北风。"

自己父亲的最后一个愿望。但是郑板桥做过知县，他的儿子在过去也算是官宦子弟，什么时候下厨房做过馒头啊？于是这个孩子费了九牛二虎之力，去请教厨师怎么和面，怎么蒸馒头，等把馒头做好了，端上来的时候，郑板桥已经去世了。郑板桥的儿子当然非常悲痛，但发现自己的父亲在临终前还硬撑着留下了几个字："淌自己汗，吃自己饭，自己事情自己干。不靠老天，不靠祖宗，才算真正好汉。"这个孩子一下子才明白，父亲为什么那么久以来一直对自己有这样的要求，不要只顾学问，还是要努力掌握一些生活方面的知识和技能。

> 实际上，《弟子规》说的这种只会读死书的人，今天也有一个词来形容，就是"高分低能"，家长现在也越来越注意到了这一点，因为一个只懂得书本知识而没有实践能力的人走进社会也是很难有所作为的。既然《弟子规》告诉我们不要读死书，那么反过来，如果只顾在实践中培养锻炼自己，而不读书又会怎样呢？对于这个问题，《弟子规》也给出了它的意见。

《弟子规》也是反对这种情况的："但力行，不学文；任己见，昧理真。"你只顾去实践，但是你不读书，那么你就只有自己的私见，你不知道别人怎么看，不知道别人有哪些经验教训，你就会连最根本的道理都不知道了。通俗地说，就是只顾低头拉车，不顾抬头看路。

汉代有个名臣霍光，他一生的故事就最能说明《弟子规》在这方面的要求。霍光是追随了汉武帝近三十年的一个重要的大臣，汉武帝死后，他还受命为汉昭帝的辅政大臣，接着执掌汉室最高权力二十年，为汉朝的中兴和安定建立了卓越的功勋，成为西汉历史上的重要人物，所以他在麒麟阁十一功臣排名第一。霍光虽然是个非常能干的人，在实践当中非常了得的一个人，但是霍光的结局是被灭族，就是因为霍光不重视读书，对于自己的家里人也不要求学文，酿成了最终的苦果。

霍光的妻子是一个很贪图富贵的人，因为昭帝之后的汉宣帝是霍光扶立的，所以自己还想做皇帝的丈母娘，她打算把自己的小女儿嫁给汉宣帝。汉宣帝当时有皇后，霍光的妻子想利用霍家的权势勾结宫廷的医生。下毒谋害汉宣帝的许皇后，然后把自己的小女儿嫁给皇帝。这件事情败露了，并没有成功，而霍光本来对这个事情是一无所知的，是他的妻子瞒着他这么干的，作为汉室重臣，霍光应该赶快去把这个情况说明白，把这个天大的事情赶紧处理好。但是霍光没有，他认为只要我不说就没有人会知道，而且我现在权势这么大，我把它压下来。这个事情没有马上引起后果。但霍光死了以后，霍家的子孙还是不读书的，家训向来如此，长辈也没有叫他们读书，所以非常地骄横跋扈。大家对他们的意见当然很多。纷纷弹劾，皇帝也看不惯啊，你们这一家人怎么这样？终于有一天，霍光的妻子谋害许皇后的事情被揭发了，这一下导致整个霍家子孙被杀光了，这当然是非常惨的。

为什么霍光会有这样的结局？中国古代的大史学家班固就有这样的评价："然光不学无术，暗于大理"，意思是说，因为霍光不读书，对这种最根本的道理他不懂，他只懂得一些从个人的经验出发能够理解的道理。

霍光不读书、不学文的教训，后来的人也都非常重视。宋朝有名的大臣寇准要当宰相了，他的朋友张咏在成都听说后，就对自己旁边的人说：寇公是奇才，可惜学问不够，读书不多。等到寇准出使陕州（今三门峡陕县），张咏正好从成都罢职回来，两个人碰到了。寇准非常尊敬地给他提供了帐幕，就等于给他盖了一个临时房子，热情地款待，大家度过了几天很开心的日子，要告别的时候，寇准把张咏送到郊外就问他：你有什么可以教导我的吗？张咏很慢地说：你要去读读《霍光传》。当时寇准没有明白张咏的意思，等到回家以后，把《霍光传》拿来一读，读到"不学无术"这四个字的时候，马上明白了，说这是张公在说我，是对我的一种教训啊！从此就提醒自己，要认真对待书本知识，认真汲取前人的经验教训。寇准后来成为一代名相。

> 既然《弟子规》告诉了我们读书的重要性，那么关于学习的方法，怎样才能读好书，又会给我们提出哪些可行的建议呢？

明白了学文和读书的重要性，这还不够。还要懂读书的方法，怎么样读书？这也是现在的父母和老师往往容易忽略的。

特别要指出的是，《弟子规》所传授的学文的方法，是今天的父母甚至是很多老师未必了解的。这种读书方法非常有效，是一千多年乃至更长时期以来积累的宝贵的读书经验，非常有助于孩子培养良好的读书习惯和提高学习能力，而且更重要的是，这些方法不仅仅是读书的方法，同时也是修身养性，从小培养孩子良好举止习惯的办法，一定要特别重视。今天，我们全民族、全社会都在寻找这样的办法，既要能够有效地提高孩子读书、掌握知识的学习效率，同时又要有益于孩子的人格、品格的养成，有助于形成孩子终生受益的良好生活习惯和行为规范。可惜的是，从这几年的情况来看，成效不大，我们并没有找到。我们其实是忘记了在悠久的传统文化当中，就有相关的资源和经验，《弟子规》就是其中之一。

关于读书的方法，《弟子规》告诉我们，有三到：心到，眼到，口到，可是我们会觉得，读书嘛，只要认真不就行了吗？这三到又究竟是什么意思呢？

《弟子规》所传授的读书方法，首先，"读书法，有三到：心眼口，信皆要。"这就是非常著名的"读书三到"。几十年前，读书人都知道读书三到，读书的时候，心、眼、口都要到。朱熹的《训学斋规》里面讲过："读书有三到，谓心到、眼到、口到。心不在此，则眼不看仔细，心眼既不专一，却只漫浪诵读，决不能记，记亦不能久也。三到之中，心到最急，心既到矣，眼口岂不到乎？"《弟子规》经过总结，就是"有三到：心眼口，信皆要"。

这"三到"当中，最要紧的是心到，但是首先我要强调，这是古人的一个误解。古人认为，心是思维器官，这是错误的，心没有这个功能。我们讲，这个人很有心计，这个人心思很密，这个人心眼好，这个人心眼坏，其实跟心都没关系。中国人大概是到明朝李时珍开始，才明白人的思维器官是脑。所以说应该是脑到、眼到、口到，强调心思要集中，脑力要集中。归根结底，是说读书要全神贯注。我们经常可以看到现在很多孩子，读书的时候一心数用，耳朵里塞着耳机不知道在听什么歌，眼睛看着电视，没准脑子里还想着游戏。这样的话，怎么能读好书呢？有些孩子，虽然高声朗读，但是心不在焉，这就是我们过去讲的小和尚念经，有口无心，什么也记不住，怎么会提高读书的效率呢？实际上，古人讲的读书：

第一，要集中精力。读书时就是要排除杂念，把心思或者把脑力用在读书上。

第二，眼要到。古人读书是眼睛盯着书的，我们现在很多人读书是眼睛看着书的，这个是不大一样，要眼睛牢牢地盯住文字。

第三，口要到。口到是要出声，古人的读书是要读出声来的，要朗读，而现在的孩子朗读习惯主要保留在学外语方面，英语天天朗读，其他的从不出声。对于孩子来讲，现在特别要强调的是要习惯于高声诵读。你不读出声音来，你就调动不了全身的注意力，便不能感受到文字之美，也不能谙熟音律，比如要读古代诗歌，你不读出声音来，怎么能感受到它的押韵呢？怎么感受到它的平仄呢？你读古文，如果不读出声来，你怎么能知道它的跌宕起伏、抑扬顿挫，怎么能知道为什么在这里要用这个字，为什么在那里要用那个字？我们现在很多孩子读的语文课文，其中有老舍先生的作品，老舍先生就很讲究音韵，他写散文，如果前一句话是用平声结尾，即第一、第二声，那么接下来的一句话就要用仄声起头。讲究到这个地步的。如果你不读，你怎么知道老舍先生的文章好？所以一定要读出来。

实际上，读书三到这个方法不仅对读书有益，而且能借读书培养孩子良好的生活习惯和处事习惯。请问，人生有哪一件事情是不需要用心的？读书如果能够用心，就会形成比较好的处世习惯，今后遇到事情。就不会掉以轻心，而会专心致志，聚精会神。有这样习惯的孩子，往往是比较容易做出成绩、取得成功的孩子。这一点我们要高度重视。

那么《弟子规》还传授了哪些读书的方法？还有哪些读书的方法是被我们忘却了的，或者忽视了的呢？请大家听下一讲。

明·钟钦礼·雪溪放舟图

第二十二讲　余力学文之二

方读此，勿慕彼；此未终，彼勿起。

宽为限，紧用功；工夫到，滞塞通。

心有疑，随札记；就人问，求确义。

房室清，墙壁净；几案洁，笔砚正。

墨磨偏，心不端；字不敬，心先病。

列典籍，有定处；读看毕，还原处。

虽有争，卷束齐；有缺损，就补之。

非圣书，屏勿视；蔽聪明，坏心志。

勿自暴，勿自弃；圣与贤，可驯致。

　　读书除了心、眼、口三到，还有哪些要求？我们应该让孩子读什么样的书？如果读书时遇到问题怎么办？《弟子规》甚至对读书的环境、字的写法、笔墨的摆放等都提出了严格的要求，那么这些看起来并不会影响读书的事情，《弟子规》为什么认为是非常重要的呢？

现在的家长常常会对那些非常用功，起早贪黑努力学习的孩子赞许有加，认为这样才算努力、刻苦，可是《弟子规》却不认为这样就是会读书了，那么怎样做才是正确的读书方法呢？而且《弟子规》对读书这件事还有更加严格的要求。甚至对读书的环境、字的写法、笔墨的摆放等都提出了要求，那么这些看起来并不会影响读书的事情，为什么《弟子规》却认为是非常重要的呢？

读书方法的根本。就是上一讲我们讲到的心、眼、口要三到。关于读书，《弟子规》还有很多其他的行之有效的方法要传授给我们。《弟子规》要求："方读此，勿慕彼；此未终，彼勿起。"这也是事关读书习惯的要求，意思就是你读这一本书还没读完，不要惦记着另外一本；这本书没有全部读完，那本书就不要开始读。

现在经常看见很多孩子一本书还没看完，只读个头，就把它放到一边，掉头去看另外一本书；那本书没读完，又给搁一边，掉头去看另外一本书。我们不要以为这是小事，也许很多父母或者老师会想，反正孩子横竖都是在看书，还貌似多读了好几本书，别的孩子一本还没读完，我的孩子已经一堆书扔一边了，这不是好事吗？难道这还需要去管吗？这恐怕还真不是可以不管的小事。过去有很多学者，基本上是所有的学者，都非常反对这种读书方法。章太炎先生的大弟子，后来和章太炎先生齐名的黄侃黄季刚先生，就非常强调"方读此，勿慕彼；此未终，彼勿起"，他将这种读书方法非常形象地叫做"杀书头"，一本书刚开个头你就不读了，好比是把这本书的头给杀掉了。

我的理解是，杀书头这种读书方法会对孩子产生很不好的影响，使

黄侃

（1886-1935）字季刚，湖北蕲春青石岭大樟树人。原名乔馨，字梅君，后改名侃，又字季子，号量守居士。1905年留学日本，在东京师从章太炎，为章氏门下大弟子。黄侃在经学、文学、哲学各个方面都有很深的造诣，尤其在传统"小学"的音韵、文字、训诂方面成就卓越，后人将他与章太炎、刘师培视为"国学大师"，称他与章太炎为"乾嘉以来小学的集大成者"、"传统语言文字学的承前启后人"。

孩子从小在不知不觉中养成浅尝辄止的坏习惯，不利于孩子养成持之以恒的毅力，而对于人的一生来讲，我们都知道持之以恒的毅力有多么的重要。有的人也许会有疑问。不是经常讲读书应该分为泛读和精读吗？"杀书头"这三个字虽然不怎么好听，难道这不也是泛读吗？其实，这是一种似是而非的理解，是一种误解。且不说泛读绝对不是"杀书头"，泛读也是要对整本书进行快速的浏览，而且这种能力是后面要培养的能力，在孩子刚开始读书的时候应该提倡精读，从头到尾读完一本书，随着孩子读书能力的增加和自我管理掌控能力的提高，他慢慢地就会形成泛读的习惯。所以千万不要在孩子刚开始读书的时候，就容忍他的这种"杀书头"行为的出现，这对孩子的一生都是有害的。就目前的教育界、读书界的情况来看，我们应该特别提倡精读，**只有通过精读，才能培育起一种沉潜涵泳、坚忍不拔的学风**。从《弟子规》我们可以看到，古人更看重精读，非常强调精读。

明朝时，江西有一个著名学者叫胡居仁，虽然他只活了五十岁，却是一位了不起的理学家。他从小就非常聪明，兴趣广泛，博览群书，被称作神童。他的"扎硬寨打死仗"的读书法和读书精神对后代影响很大，就是一旦我要读这本书，我就像扎下一个寨子一样盯着这本书，不管这本书里面有多少困难，我都要把它搞通，这是一种一心钻研的精神。他一再告诫他的弟子，读书多而不精不熟，不如读书少而精熟。你读一本书就要真正了解一本书、掌握一本书，不要泛滥无归，貌似读书很多。但实际上哪一本书都没读懂，哪一本书都没读透。他特别强调读书要持之以恒，要排好功课。他的一副对联非常有名："苟有恒，何必三更眠五更起；最无益，莫过一日曝十日寒。"你如果有恒心，没必要起早贪黑；最没有好处的，就是你一天拼命用功，通宵不睡，开夜车，接下来的十天天天睡懒觉。我们可以看到现在很多孩子的习惯恰恰是这样的，考试前埋头苦干，用一种大跃进的精神，几乎要拼命了，用功三天，考试结束后，该干吗干吗，到早上九十点钟还不起床，这种习惯是很不好的。

> 其实《弟子规》对读书的要求和做人的要求一样，就是要持之以恒、贵在坚持，只要做到这一点，那么不仅仅是读书，所有的事情都会有所收获。接下来，《弟子规》说的"宽为限，紧用功；工夫到，滞塞通"，就是讲如何制定学习计划的，这个我们从小就会被老师要求做的事情，《弟子规》又是怎么告诉我们的呢？

"宽为限，紧用功；工夫到，滞塞通"，是指定学习计划的时候，不妨定得宽松一点，执行计划的时候却应该抓紧。工夫到了，茅塞自开。现在很多老师都希望孩子从小形成一个良好的习惯，要小学生开始自己定读书计划。我看过我儿子的读书计划：哇，这简直是天下第一大读书人的计划，精确到几点几分读什么，排得非常好，这个表，我当时看了就晕了，我说：儿子，照你这么定，那不出三年，你是天底下最有学问的人。问题是，定完第二天他就不这么干了。是不是很多孩子都有这个习惯？实际上，定计划的时候不妨宽一点，但执行计划的时候一点也不能耽误。你宁可提前超量完成计划，而不要赶不上、做不到，否则你定这个计划就等于是假的了。我们最最要警惕的，是千万不能让孩子形成今天推明天、明天推后天的习惯，这是最要不得的。应该培养孩子今天要读的书今天读完，今天要做的作业今天做完，今天要做的事情今天了结，今日事今日毕，这是非常重要的生活习惯。

对那些定完计划不执行，老拖、老赖的人，古人写了一首打油诗："春天不是读书天，夏日炎炎正好眠。秋有蚊虫冬有雪，收拾书籍待来年。"这是说一个人定了一个计划，说大好春光不要辜负，我要好好读书。可是一到春天发现，春眠不觉晓，春天的觉好睡，所以他就找了个借口，说春天不是读书天，春天要睡觉，要出去春游，春光明媚，不读书不读书。那么，夏天来了，你该读书了吧？他又开始定计划，想在夏天把春天的事情补回来。但是一到夏天发现天很热，一到下午就打瞌睡，所以他又说夏日炎炎正好眠，夏天热，我要睡午觉，放到秋天再读。到了秋天了，他又有道理，秋有蚊虫要咬人，那么秋天也不是读书的时候。最后到冬天终于可以读了吧，但冬天下雪了，我要去赏雪，我也没空读书，所以把书理理好，等来年吧。你看，这种计划就没有意义了。而在过去，对于勤奋用功、发奋苦读的人，往往都赞许有加。

像大史学家司马光，原本也是个贪玩、贪睡的孩子，所以他经常受到先生的责骂和同伴的嘲笑：你看你多懒，古人恐怕天没亮就起床读书了，你看你还睡着。所以司马光下决心抓紧用功，改掉自己的坏毛病。他为了能够早早地起床，睡觉前拼命喝水，让自己被尿憋醒而起来上厕所，那么就可以读书了。谁知道，这一计无效，他太爱睡了，结果喝了一肚子水，尿了一大床，还没起来，司马光又被别人嘲笑。于是他就做了一个警枕，拿一个圆的木柱子做枕头，这样只要他稍微翻翻身，改换一下睡姿，木头就滚掉了，扑通一声能把他给惊醒，或者他的头一下砸在床板上给砸醒了。从此以后，他天天按照计划抓紧读书，最后成为中国历史上一位有名的学识渊博的人，成为《资治通鉴》的一个主要编纂者。

　　　　心中有疑问，如果不能及时得到正确的答案，一定要记下来，然后找机会问别人，求得正确的解释，这个再简单不过的事情我们不妨问问自己，我们做到了吗？而这样的学习习惯对于孩子的成长又会有哪些好处呢？

接着，《弟子规》要求孩子们在读书的时候："心有疑，随札记；就人问，求确义。"古人读书没有今天这么好的条件，我们是按部就班的九年制义务教育，然后读高中，然后再读大学，都有老师可以请教。而且，现在又有电脑，如果自己有不懂的地方，到处可以请教。而古人读书有的时候是没有老师的，所以一旦读到不懂的地方，就要随时赶快记在小本子上，然后见人就问，希望能够得到准确的答案。这个札记是一种功夫，现在基本上没有人做了。过去的读书人，都随身有个小本子，碰到自己不懂的事情，或者自己想到一些东西怕忘记的，都要随时记下来。也许很多人会问：怎么记啊？古人又没有铅笔、钢笔。他们是用毛笔记。那有人会问：难道他随身还带个砚台啊？古人想了这么一个办法，拿一块墨随身带在身边，要记的时候，随便找块石头一磨不就出墨了嘛，或者拿吃饭的碗倒过来，后面不是有个碗托嘛，在凹下去那里磨墨，随时札记。很多大学者都是这么做的。现在我们的孩子都没有这个习惯了，实际上这个习惯特别特别要紧。

日记也是札记的一种，现在大概很多人都没有记日记的习惯。最好让孩子形成这个习惯，每天记一些东西，不一定要长篇大论，比如说，今天我晚起了，是一句话；或者今天考试我忘了一道题，也是一句话；比如今天上课，我忘了带手绢，也是一句话，就是要培养他这种习惯。我发现很多孩子都没有这个习惯，其实应该从小养成。积累知识最怕的就是筛子法。一个筛子，上面都是米，你一筛，如果筛子眼小的话，那么你筛掉的是碎米，筛掉的是小石头，那么筛子眼怎么才能小呢？这个就要从小培养细致的习惯。**从小特别细致，笔头勤。知识的筛子这个眼就会越扎越小。**这样的话你的知识才会积累起来。不然的话，你读五本书，漏掉四本，没准剩下那一本还是读错了的，这完全无益于知识的积累。

> 房室、墙壁、几案、笔砚这些看起来和读书有关，却又不是有绝对必然关系的事情，为什么《弟子规》会把它们专门作为四句话来要求孩子们呢？难道这些看起来微不足道的小事真的会对一个人产生很大的影响吗？

接下来《弟子规》还要求孩子，从小对自己的读书环境要有一种关切，要养成良好的打扫自己读书环境的习惯，"房室清，墙壁净；几案洁，笔砚正"。即要保证自己读书的房子非常清爽，墙壁要保持干净；几案也要保持非常的整洁；笔要放在放笔的地方，砚台要放在放砚台的地方。这是要求孩子自小从整理书房文具做起。养成有条不紊、井井有条的良好习惯，长大以后再处理事情，就不会手忙脚乱、进退失据。我注意到我的朋友或者邻居家，孩子的书包很多是父母理的，孩子写作业已经写得很晚了，比如到晚上九十点钟，父母不舍得，长辈不舍得，说宝贝，赶快睡觉吧，然后替孩子把书包理好，第二天早晨出门的时候，往往爷爷奶奶替着背，背到学校门口。其实，这丧失了一个非常重要的培养孩子良好习惯的机会。孩子理一理书包，最多五分钟、十分钟，而且他会越理越快，越理越熟练，如果孩子从小不养成整理自己书包的习惯，那么长大以后在处理问题时往往会杂乱无章。现在的家长，只要孩子读书用功，很少注意孩子的小书桌是不是井井有条。很多孩子的书桌都很乱，这儿一堆，那儿一堆。这是一个非常不好的习惯。

东汉有一个非常有名的人叫陈蕃，这个人是举孝廉当的官，后来还当过太守，甚至尚书，在历史上很有名，不仅仅是因为《后汉书》对他的评价："汉世乱而不亡，百余年间，数公之力也！"意思说汉朝很乱，但是乱了没有亡，是有好几位大臣的功劳，其中有一位就是陈蕃，这个评价很高。他之所以有名，其实是因为一句话："一屋不扫。何以扫天下。"

陈蕃的祖父曾经担任过河东太守，但是到了陈蕃这一代，家道中落，不是那种显宦之家。十五岁时，陈蕃曾在一个庭院里面读书。一天，他爸爸的一个老朋友薛琴来看他，看到陈蕃读书的院子里杂草丛生，污秽满地，根本不打扫。他就对陈蕃说：孺子何不洒扫以待宾客？说你这个小孩子，怎么不把你的庭院整理干净，准备有宾客来访啊？陈蕃当即回答："大丈夫处世，当扫除天下，安事一室乎？说大丈夫，应该扫除天下。应该关心国家大事，干吗要我去扫一个小房间啊？有什么用啊？这个回答让薛琴很吃惊。一方面他知道，自己这个故人之子胸怀天下，是一个有大志的人。但是，又发现故人之子不拘小节，没有养成重视小事、小节的习惯。所以他就劝了一句，说"一屋不扫，何以扫天下？"天下的事情比你这个庭院的事情复杂多了，你连你这个院子都伺弄不好，你还说什么要扫除天下？陈蕃听了这个话以后恍然大悟。从此以后，他把自己的庭院打扫得干干净净，自己读书的几案也擦拭得干干净净，养成了有条不紊的好习惯，后来才得以成就大事。

"一屋不扫，何以扫天下"，这一句过去教育孩子非常有名的话，这几年是听不到了，因为没有家长再指望自己的孩子打扫屋子了，都指望自己的孩子去打扫天下。恨不得自己的儿子将来能够建立丰功伟业，家里乱点，被子不叠，书包不理都不要紧，这是一种很要命的误解，还是应该让孩子从小形成好习惯。

《弟子规》非常注意细节，"墨磨偏，心不端；字不敬，心先病。"墨，现在的孩子都不用了，都用墨汁了，我们小时候写字还是用墨的，我祖母经常把我的墨倒过来看，我经常会把墨磨得一道斜。我祖母就跟我说，你不能这样磨墨。我那时候不懂，就说奶奶：这有什么，磨出来不都是黑的？祖母就教我：磨墨的时候你要端正，一定要肘端平，三指到四指捏磨，非常端正地磨，而且一般来讲，正磨六圈，反磨六圈，你不能一直像推磨一样地磨，要这样磨几圈，那样磨几圈。古人或者过去老传统非常讲究，这样磨出来的磨永远是平的，也就是磨墨的时候，你也不能掉以轻心，你心要端正，这样你磨出来的墨不会偏。说到"字不敬，心先病"，这一点在今天是太重要了，我们不说小学生、中学生，就是现在的大学生、硕士生、博士生，这一笔字啊，能拿得出来的是太少了，字写得不端正，不像样。不是说你的字要写得多好，要写到书法家的水平，而是要一笔不苟，端端正正。我现在经常说，我们很多人的字就像飞过一只蚊子，我啪一下手把蚊子拍死在这墙壁上，这墙壁上的蚊子就是字啊，不知道他写的什么。有很多朋友讲，我现在时间忙，我写草书。草书也得认得啊！草书是有规矩的，法度森严呢。你去看真正的书法家，写草书很慢，真正会写草书的人都知道，草书不像楷书，一笔都不能错，楷书你少一笔这个字我还认得。草书有时候要差一笔可能就是别的字啊！所以，写字一定要恭敬，要端正。尤其在当今电脑时代，很多孩子写字是打出来的，用笔的时间很少，这个千万要注意。我是非常赞成小学里边要有书法课的，而且书法课的课程要增加，这不仅是要培养一个孩子写好字，而且是要培养他的一种端正、恭敬的人生态度。古人讲，字是见面宝，比如过去你去推荐自己，或者你去求职，是先要写封信去的，人家一看你一笔好字，你就先得分了，而且古人是要从你的字里面看你的修养的。

　　现在很多家长都不太关注这件事，只关注孩子快点写完作业，这就很有问题。《旧唐书》记载，唐穆宗非常懒，怠于朝政，不大愿意管事，但是他对书法很有兴趣。他就问著名的书法家柳公权：怎么能够把字写到尽善尽美呢？怎么能够把字写到你那么好呢？柳公权说：写字先要把笔握端正，用笔的要诀记在心里，只有心正，笔才能正；只有笔正了，字才能正。唐穆宗马上就知道，这是柳公权在劝谏自己。古人把这个是联系在一起的。所以古人的读书方法也好，写字方法也好，归根到底是修身养性的方法。为什么我们发现一般书法家往往都很长寿，显得很年轻啊？因为写字本身是一个修身养性的过程，我们千万不要忽略。

　　　　除了读书的方法，《弟子规》对怎样爱护书籍，也给孩子提出了要求，因为这些看起来很小的细节对孩子今后的人生都会有益，那么关于如何爱惜书籍，司马光是怎么做的呢？

　　《弟子规》还要求我们的孩子，"列典籍，有定处；读看毕，还原处。虽有急，卷束齐；有缺损，就补之。"这是指对书籍的态度，我们应该尊敬、爱惜。你放书时，应该放在固定的地方，看完了以后你要放回原处。哪怕你碰到急事情，你要离开，也应该把书卷好、扎好，这是古书，现在的书没有这个，古代的书如果是卷轴的就要卷好，如果是有函套的就要把函套插好，有缺损就修补它。古代的读书人都会补书，古代的一本书可能传一两百年，几代人读，如果有缺损要把它补好。今天的孩子有这样习惯的也不多，因为大家经济条件好了，买书也买得起，书店里什么书都有得买，得到书籍太容易了。但是回想我们那个年代，我们小时候要买到一本书都是很宝贝的，不舍得让书有一点卷角，破了，我们都会把书包上一个皮，非常好地把它保护起来。像我孩子就读的学校，每个学期发完书，都要求孩子自己包书皮，我非常赞成，就是要培养孩子爱惜书籍的习惯。实际上，现在这个包书纸纸店里就有卖的，不像我们小时候没有卖的，我们要把牛皮纸裁好，要把它叠好角，还设计书是插进去的，不舍得用胶水把书面胶住。现在的孩子用现成的包书纸，你让孩子包一次，伤不了孩子什么，但很多家长都把这个事情替孩子做了。这实际上也是失去了一次教育孩子的机会。好多培养孩子良好生活习惯、良好人生态度的机会。都是在家长的宠爱中悄悄地溜走了，等我们发现孩子长大了怎么这个习惯也不好，那个习惯也不好，你别忘了，都是我们家长自己造成的，所以应该从小节注意。

我们知道司马光一生好书，他读书的时候，就非常注意爱惜自己的书。司马光的读书堂藏书万卷，他天天都在读书，晨夕披阅，读了很多年，但是他的书依然跟新的一样。记载说："皆新落，手未触者。"新得像手都没碰过一样，可见司马光非常爱惜书。司马光读书之前，先要把几案擦干净，在桌子上铺上一块布，然后端坐着看。他坐累了，想起来活动活动的时候，就把书放在事先准备好的一块方木板上面读。他绝对不会拿手直接去碰书，怕手上的汗把书给浸坏了。过去都是线装书，如果线松动了，全书就散了，所以司马光就经常亲手补书。司马光读书时还有个规矩，"侧右手大指面衬其沿而覆，以次指面捻而挟过，故得不至揉熟其纸"。读线装书的一页，要大指面捻起，不是像我们现在一页一页地翻书，线装书这么翻会把纸给弄熟了，弄烂了，这个角就会卷起来。古人读书都是很有讲究的，所以司马光读完书以后书还能像新的一样。这是培养孩子爱惜书籍，乃至爱惜一切事物，对书籍，对前人的知识，有一种尊敬，有一种恭敬。如果对待书籍是这样，那么长大以后对待自己的衣服、电脑、自行车或者小车，他都会很爱惜。这也是一个习惯。

> 《弟子规》是以"非圣书，屏勿视；蔽聪明，坏心志。勿自暴，勿自弃；圣与贤，可驯致"这八句话作为结束的，告诉孩子应该读什么样的书，正确的选择对孩子的成长会起到至关重要的作用。那么接下来《弟子规》说的"圣与贤，可驯致"是真的吗？我们真的可以成为我们心目中的圣贤那样的人吗？

《弟子规》在最后要求孩子们"非圣书，屏勿视；蔽聪明，坏心志"。不是圣贤的书不要看，如果你看了以后会遮蔽你的聪明，损坏你的心志。我们经常讲，读书无禁区，什么书都应该读，这是对已经有了判断能力、判别能力的成年人讲的。但是对于孩子，他的智力还没有完全成熟，在他的判断力还没有形成的时候，应该让他在指导之下读经典，读好书。有些有争议的书，甚至有些不好的书，是应该尽量避免让孩子去读的。等他形成了自己的人生观和价值观，自己有了判别能力之后，再让他自己决定也不迟。

"勿自暴，勿自弃；圣与贤，可驯致。"这是《弟子规》的最后四句

颜渊

(前521-前490)春秋末鲁国人。名回，字子渊。孔子的学生。贫居陋巷，箪食瓢饮，而不改其乐。孔子称赞他的德行："吾见其进也，未见其止也"。但也说："回也非助我者也，于吾言无所不说(悦)。"英年早逝，孔子极悲恸。后被封建统治者尊为"复圣"。

话。最紧要的是"勿自暴，勿自弃"，也就是说人不要自暴自弃，应该永远向上，对自己应该永远有一种要求。不能因为碰到一些挫折和困难。遭遇到一些险阻。就自暴自弃，说我不行了，我做不成了，我不干了，我就这样了，千万不要这样。这是《弟子规》最后的要求，要求每个人都要有一种不自暴自弃的决心和毅力。

"自暴自弃"的出典是儒家重要典籍《孟子》，《弟子规》也正是用《孟子》的话来结束全书的。《孟子》中讲道，"自暴者，不可与有言也；自弃者，不可与有为也。言非礼义，谓之自暴也；吾身不能居仁由义，谓之自弃也。"孟子讲，你一个自暴的人，我都没什么话跟你讲，你自己都放弃了，我还跟你讲什么？你一个自弃的人，自己都不追求上进，自己就没有要求，你不可能有什么作为。你不是按照礼、按照义，你的言行不是按照这个来做的，这就叫自暴。一生如果不能朝着仁义的目标去要求自己，去奋进，这就叫自弃。

孟子引用颜渊的话发问："舜何人也？予何人也？"舜是什么人啊？我是什么人啊？提出这么一个问题。孟子的答案是：人皆可以为尧舜。而尧舜是古代的圣贤、圣王。换句话说，只要我们从小形成良好的人生态度和习惯，只要我们不自暴、不自弃，每一个人都会接近于自己心目中的圣贤，每一个人都会实现自己的理想，都不会虚度自己的一生。